歎異抄をひらく

高森顕徹

1万年堂出版

はじめに

善人《ぜんにん》なおもって往生《おうじょう》*を遂《と》ぐ、いわんや悪人《あくにん》をや。

（善人でさえ、浄土《じょうど》へ生まれることができるのだから、
ましてや悪人は、なおさら往生《おうじょう》できる）

これは『歎異抄《たんにしょう》』三章の一節である。日本の古典で、もっとも知られる一文だろう。

『歎異抄《たんにしょう》』は七百年ほど前、親鸞聖人《しんらんしょうにん》の高弟・唯円《ゆいえん》によって書かれたものとい

＊往生　浄土へ往くこと。

われている。聖人《しょうにん》亡き後、親鸞聖人《しんらんしょうにん》の仰《おお》せと異なることを言いふらす者の出現を嘆《なげ》き、その誤りを正そうとしたものである。

鴨長明《かものちょうめい》の『方丈記《ほうじょうき》』、『歎異抄《たんにしょう》』、吉田兼好《よしだけんこう》の『徒然草《つれづれぐさ》』の順で、ほぼ六十年間隔《かんかく》で成立している。

これらは三大古文として有名だが、なかでも『歎異抄《たんにしょう》』の文体に引《ひ》き込《こ》まれるような魅力《みりょく》があり、全文を暗唱する愛読者のあるのもうなずける。

今日《こんにち》、『歎異抄《たんにしょう》』ほど、読者の多い古典は異数*ではなかろうか。その解説書は数知れず、今も新たなものが加え続けられている。

ところが、この書が世に知られるようになってから百年もたってはいないのだ。

それは五百年前、浄土真宗《じょうどしんしゅう》の中興*、蓮如上人《れんにょしょうにん》*が、親鸞聖人《しんらんしょうにん》を誤解させるおそれがあると、「仏縁《ぶつえん》*の浅い人には披見《ひけん》させてはならぬ」と封印《ふういん》されたからであ

＊異数　異例、珍しいこと。
＊中興　再び盛んにした人。
＊蓮如上人　親鸞聖人の８代目の子孫。聖人の教えを全国に伝え、有名な『御文章』（『御文』ともいう）を書かれた方。
＊仏縁　阿弥陀仏とのかかわり。

ろう。
以来、親鸞学徒《しんらんがくと》*でさえ警戒《けいかい》し、ほとんど知る者はなかったが、明治の末から
ある機縁《きえん》で急速に読み始められ、仏教学者はいうにおよばず、多くの作家や思
想家が、こぞって『歎異抄《たんにしょう》』を論じ始めた。
かくて広く一般《いっぱん》にも愛読されるようになり、親鸞聖人《しんらんしょうにん》といえば『歎異抄《たんにしょう》』、
『歎異抄《たんにしょう》』といえば親鸞聖人《しんらんしょうにん》といわれ、今では親鸞思想《しんらんしそう》の格好の入門書とされ
ている。
だが、蓮如上人《れんにょしょうにん》の訓戒《くんかい》どおり『歎異抄《たんにしょう》』は、もろ刃《は》の剣《つるぎ》である。冒頭《ぼうとう》にあげ
た「善人《ぜんにん》なおもって」の言葉など、皮相《ひそう》の見《けん》*では悪を勧《すす》めているようにも映る。
事実、「阿弥陀《あみだ》さまは、悪人大好き仏だから、悪をするほどよいのだ」と吹《ふい》
聴《ちょう》する者が現れ、「親鸞《しんらん》の教えは、悪人製造の教え」と非難された。
また、東大の名誉教授《めいよきょうじゅ》でさえ『歎異抄《たんにしょう》』を読《よ》み違《ちが》え、〝念仏《ねんぶつ》を称《とな》えたら救わ

＊親鸞学徒　親鸞聖人の教えを学び、信じ、伝える人。
＊皮相の見　うわべだけを見ること。

れると教えたのが親鸞《しんらん》〟と教科書に記し、物議をかもした。

『歎異抄《たんにしょう》』が広範《こうはん》な読者に迎《むか》えられたせいなのか、聖人《しょうにん》は日本で最も有名な、歴史上の人物といわれるようにもなった。同時にまた、親鸞聖人《しんらんしょうにん》の教えが誤解される、大きな要因となったのも否めない。

『歎異抄《たんにしょう》』は本来、門外不出の秘本であり、読者によっては自他ともに傷つける、カミソリのような書である。聖人《しょうにん》の教えを正しく理解した上で読まなければ、自損損他、＊大けがをして臍《ほぞ》を噛《か》む＊ことにもなる。

とかく『歎異抄《たんにしょう》』を論じたものは、著者の体験や信条に力点が置かれ、自由《じゆう》奔放《ほんぽう》に解釈《かいしゃく》されている、と嘆《なげ》く識者も少なくはない。

本書は、聖人《しょうにん》自作の『教行信証《きょうぎょうしんしょう》』＊などをもとに、『歎異抄《たんにしょう》』の真意の解明に鋭意《えいい》努めたつもりである。

親鸞聖人《しんらんしょうにん》のお言葉を提示して、非才ながら一石を投じたい。

＊自損損他　自分も不幸になり、他人も不幸にすること。
＊臍を噛む　深く後悔すること。
＊教行信証　親鸞聖人の教えの全てが書かれた主著。

読者諸賢《どくしゃしょけん》のご批判に待つ。

平成二十年早春　著者識《しる》す

『歎異抄』の構成

『歎異抄《たんにしょう》』は十八章からなる。

一章から十章までは、親鸞聖人《しんらんしょうにん》の直《じか》のお言葉を、そのまま記したものとなっている。

十一章から十八章は、その聖人《しょうにん》の教えを依憑《えひょう》＊として、当時流布していた異説の内容と誤りを、『歎異抄《たんにしょう》』の著者が正したものである。

最初に「序文」が置かれ、十章のあとには、十一章以降の序文がある。十八章の後には「後序」と、親鸞聖人《しんらんしょうにん》の流刑《るけい》＊にまつわる記録が添《そ》えられている。

まとめると、以下のようになる。

(1) 序文
(2) 一章〜十章（親鸞聖人《しんらんしょうにん》のお言葉）

＊依憑　ものさし、基準。
＊流刑　流罪。遠方に追放されること。死刑に次ぐ重罪。

(3) 別序（十一章以降の序文）
(4) 十一章～十八章（邪説《じゃせつ》の批判）
(5) 後序
(6) 流罪にまつわる記録

編集にあたって

第一部では上段に意訳を、下段に原文を載《の》せた。できるだけ原文の真意が伝わるよう、平易な意訳に努めたつもりでも、なお多くに誤解され影響《えいきょう》も大きく、余り詳《くわ》しく世に紹介《しょうかい》されない部分を特に選んで、予《あらかじ》めページを改め解説を試みた。従って全章を解説したものではないことを、了承《りょうしょう》を願っておきたい。

なお、十一章から十八章まで批判されている邪説《じゃせつ》は、今日《こんにち》はあまり耳にするとのないものが多いので、意訳は割愛し要約のみにした。それでも原文を知りたい読者の為《ため》に、第三部に掲載《けいさい》したので、参照されたい。

『歎異抄《たんにしょう》』原文は、室町時代の写本である「永正本＊」をもとにした。これまでの研究を参考に、漢字や句読点、仮名遣《かなづか》いなどは、現代人に読みやすいように改めてある。

＊永正本　『歎異抄』の写本の一つで、永正16年(1519)に書かれた。

歎異抄をひらく

目次

第一部
『歎異抄』の意訳

目次

第二部

『歎異抄』の解説

第三部

『歎異抄』の原文

第一部　『歎異抄』の意訳

序

ひそかに愚案を廻らしてほゞ古今を
勘ふるに先師の口伝の真信に異なる
ことを歎き後学相続の疑惑あること
を思ふに幸ひに有縁の知識によらずは
いかでか易行の一門に入ることを得んや
まったく自見の覚悟をもって他力の宗旨
を乱ることなかれ
よって故親鸞聖人の御物語の趣耳の底に

留むる許いさゝかこれを注す ひとへに
同心行者の不審を散ぜんがためなり

序

意訳

ひそかに愚《おろ》かな思いを廻《めぐ》らし、親鸞聖人《しんらんしょうにん》ご在世と、今日《こんにち》をみるに、直《じか》に聖人《しょうにん》のご教授なされた真実信心と、異なることが説かれているのは、嘆《なげ》かわしい限りである。

これでは、正しく聖人《しょうにん》の教えを学び、お伝えするのに、惑《まど》いや疑いが生《しょう》じはしないかと案じ

原文

ひそかに愚案《ぐあん》を廻《めぐ》らして、ほぼ古今《ここん》を勘《かんが》うるに、先師《せんし》の口伝《くでん》の真信《しんしん》に異《こと》なることを歎《なげ》き、後学相続《こうがくそうぞく》の疑惑《ぎわく》あることを思《おも》うに、幸《さいわ》いに有《う》縁《えん》の知識《ちしき》によらずば、いかでか易行《いぎょう》の一門《いちもん》に入《い》ること

られる。

かかるとき、幸いに善き師に遇《あ》わずば、どうして他力易行《たりきいぎょう》の信心＊を獲《え》ることができようか。決して勝手な判断によって、他力《たりき》の真義を乱すことがあってはならない。

このような願いから、かつて聖人《しょうにん》の仰《おお》せになった、耳の底に残る忘れ得ぬお言葉を、わずかながらも記しておきたい。

これひとえに志を同じくする、親鸞学徒《しんらんがくと》＊の不《ふ》審《しん》を晴らしたいからに外《ほか》ならない。

を得《え》んや。まったく自見《じけん》の覚悟《かくご》をもって、他力《たりき》の宗旨《しゅうし》を乱《みだ》ることなかれ。

よって故親鸞聖人《こしんらんしょうにん》の御物語《おんものがたり》の趣《おもむき》、耳《みみ》の底《そこ》に留《とど》むる所《ところ》、いささかこれを註《しる》す。ひとえに同心行者《どうしんぎょうじゃ》の不審《ふしん》を散《さん》ぜんがためなり。

＊他力易行の信心　他力（阿弥陀仏のお力）による救い。
＊親鸞学徒　親鸞聖人の教えを学び、信じ、伝える人。

第一章

弥陀の誓願不思議に助けられまいらせて
往生をば遂ぐるなりと信じて念仏申さん
と思いたつ心のおこるとき すなわち摂取不捨
の利益にあずけしめたまうなり
弥陀の本願には老少善悪の人をえらばず
ただ信心を要とすと知るべし
そのゆえは罪悪深重煩悩熾盛の衆生を
助けんがための願にてまします

しかれば本願を信ぜんには他の善も
要にあらず念仏にまさるべき善なきが
ゆゑに悪をもおそるべからず　弥陀の
本願をさまたぐるほどの悪なきがゆゑに
と云々

第一章
仏法の肝要、を言われた親鸞聖人のお言葉

［意訳］

〝すべての衆生《しゅじょう》を救う〟という、阿弥陀如来《あみだにょらい》*の不思議な誓願《せいがん》に助けられ、疑いなく弥陀《みだ》の浄土《じょうど》へ往《ゆ》く身となり、念仏称《ねんぶつとな》えようと思いたつ心のおこるとき、摂《おさ》め取《と》って捨てられぬ絶対の幸福

［原文］

「弥陀《みだ》の誓願不思議《せいがんふしぎ》に助《たす》けられまいらせて往生《おうじょう》をば遂《と》ぐるなり」と信《しん》じて「念仏《ねんぶつ》申《もう》さん」と思《おも》いたつ心《こころ》のお

に生かされるのである。

弥陀《みだ》の救いには、老いも若きも善人も悪人も、一切差別はない。ただ「仏願《ぶつがん》*に疑心あることなし」の信心を肝要《かんよう》*と知らねばならぬ。

なぜ悪人でも、本願《ほんがん》を信ずるひとつで救われるのかといえば、煩悩《ぼんのう》*の激しい最も罪の重い極悪人を助けるために建てられたのが、阿弥陀仏《あみだぶつ》の本願《ほんがん》の真骨頂*だからである。

ゆえに弥陀《みだ》の本願《ほんがん》に救《すく》い摂《と》られたならば、一

こるとき、すなわち摂取《せっしゅ》不《ふ》捨《しゃ》の利益《りやく》にあずけしめたまうなり。

弥陀《みだ》の本願《ほんがん》には老少善悪《ろうしょうぜんあく》の人《ひと》をえらばず、ただ信心《しんじん》を要《よう》とすと知《し》るべし。

そのゆえは、罪悪深重《ざいあくじんじゅう》・煩悩熾盛《ぼんのうしじょう》の衆生《しゅじょう》を助《たす》けんがための願《がん》にてまします。

しかれば本願《ほんがん》を信《しん》ぜんには、他《た》の善《ぜん》も要《よう》にあらず、

＊阿弥陀如来　「阿弥陀仏」とも「弥陀」ともいわれる。
＊仏願　阿弥陀仏の誓願（約束）。本願ともいわれる。
＊肝要　唯一大事なこと。
＊煩悩　欲や怒り、ねたみそねみなど、私たちを煩わせ悩ませるもの。
＊真骨頂　真価。本来の姿。

切の善は無用となる。弥陀《みだ》より賜《たまわ》った念仏《ねんぶつ》以上の善はないからだ。
また、どんな悪を犯しても、不安や恐《おそ》れは皆無《かいむ》となる。弥陀《みだ》の本願《ほんがん》で助からぬ悪はないからである、
と聖人《しょうにん》は仰《おお》せになりました。

念仏《ねんぶつ》にまさるべき善《ぜん》なきがゆえに、悪《あく》をもおそるべからず、弥陀《みだ》の本願《ほんがん》をさまたぐるほどの悪《あく》なきがゆえに、と云々《うんぬん》。

第二章

おのおの十余ヶ国の境を越えて身命を
顧みずして訪ね来らしめたまふ御志
ひとへに往生極楽の道を問い聞かんが
ためなり
しかるに念仏よりほかに往生の道をも
存知しまた法文等をも知りたるらんと
心にくく思し召しておわしましてはんべらば
大きなる誤りなり

もしからば南都北嶺にもゆゆしき学匠
たち多く座せられて候なればかの人々
にもあひたてまつりて往生の要よくよく
聞かるべきなり
親鸞におきてはただ念仏して弥陀に助け
られまゐらすべしとよき人の仰せを被り
て信ずるほかに別の子細なきなり
念仏はまことに浄土に生まるるたねにてや
はんべるらん

また地獄に堕つる業にてやはんべるらん
総じてもって存知せざるなり たとひ法然聖人
にすかされまひらせて念仏して地獄に堕ち
たりともさらに後悔すべからず候
そのゆゑは自余の行を励みて仏になるべか
りける身が念仏を申して地獄にも堕ちて
候はばこそすかされたてまつりてといふ
後悔も候はめ いずれの行も及び難き身
なればとても地獄は一定すみかぞかし

弥陀の本願まことにおはしまさば釈尊の説教
虚言なるべからず 仏説まことにおはしまさば
善導の御釈虚言したまふべからず 善導の御釈
まことならば法然の仰せそらごとならんや法然の
仰せまことならば親鸞が申す旨またもつてむなし
かるべからず候か 詮ずるところ愚身が信心におき
てはかくのごとし このうへは念仏をとりて信
じたてまつらんともまたすてんとも 面々の
御計らひなり と云々

第二章
親鸞聖人の鮮明不動の信念

［意訳］

あなた方が十余カ国の山河《さんが》を越《こ》え、はるばる関東から身命を顧《かえり》みず、この親鸞《しんらん》を訪ねられたお気持ちは、極楽《ごくらく》*に生まれる道ただ一つ、問《と》い糺《ただ》すがためであろう。

［原文］

おのおの十余《じゅうよ》ヶ国《かこく》の境《さかい》を越《こ》えて、身命《しんみょう》を顧《かえり》みずして訪《たず》ね来《きた》らしめたまう御志《おんこころざし》、ひとえに往生極楽《おうじょうごくらく》の道《みち》を問《と》

だがもし親鸞《しんらん》が、弥陀《みだ》の本願念仏《ほんがんねんぶつ》のほかに、往生《おうじょう》の方法や秘密の法文《ほうもん》*などを知っていながら、隠《かく》し立《だ》てでもしているのではなかろうかとお疑いなら、とんでもない誤りである。

それほど信じられぬ親鸞《しんらん》なら、奈良や比叡《ひえい》*にでも行かれるがよい。あそこには立派な学者が多くいなさるから、それらの方々にお遇《あ》いになって、浄土《じょうど》に生まれる肝要《かんよう》を、篤《とく》とお聞きなさるがよかろう。

*極楽　弥陀の住する浄土。苦のない安楽な世界。
*法文　教え。
*比叡　比叡山のこと。京都と滋賀の境にある山。天台宗の総本山がある。

い聞《き》かんがためなり。

しかるに、念仏《ねんぶつ》よりほかに往生《おうじょう》の道《みち》をも存知《ぞんじ》し、また法文等《ほうもんとう》をも知《し》りたるらんと、心《こころ》にくく思《おぼ》し召《め》しておわしましてはんべらば、大《おお》きなる誤《あやま》りなり。

もししからば、南都北嶺《なんとほくれい》にもゆゆしき学匠《がくしょう》たち多《おお》く座《おわ》せられて候《そうろう》なれば、かの人々《ひとびと》にもあいたてまつりて、親鸞《しんらん》はただ、「本願《ほんがん》*を信じ念仏《ねんぶつ》して、弥陀《みだ》に救われなされ」と教える、法然上人《ほうねんしょうにん》*の仰《おお》せに順《したが》い信ずるほかに、何もないのだ。

念仏《ねんぶつ》は、地獄《じごく》に堕《お》つる業《ごう》*だと言いふらす者もあるようだが、念仏《ねんぶつ》は浄土《じょうど》に生まれる因《たね》*なのか、地獄《じごく》に堕《お》つる業《ごう》なのか、まったくもって親鸞《しんらん》、知るところではない。

たとえ法然上人《ほうねんしょうにん》に騙《だま》されて、念仏《ねんぶつ》して地獄《じごく》に堕《お》ちても、親鸞《しんらん》なんの後悔《こうかい》もないのだ。

なぜならば、念仏《ねんぶつ》以外の修行《しゅぎょう》を励《はげ》んで仏にな

往生《おうじょう》の要《よう》よくよく聞《き》かるべきなり。

親鸞《しんらん》におきては、「ただ念仏《ねんぶつ》して弥陀《みだ》に助《たす》けられまいらすべし」と、よき人《ひと》の仰《おお》せを被《かぶ》りて信《しん》ずるほかに、別《べつ》の子細《しさい》なきなり。

念仏《ねんぶつ》は、まことに浄土《じょうど》に生《う》まるるたねにてやはんべるらん、また地獄《じごく》に堕《お》つる業《ごう》にてやはんべるらん、総《そう》じてもって存知《ぞんじ》せざるなり。

れる私ならば、念仏《ねんぶつ》したから地獄《じごく》に堕《お》ちたという後悔《こうかい》もあろう。

だが、いずれの善行《ぜんぎょう》もできぬ親鸞《しんらん》は、地獄《じごく》のほかに行き場がないのである。

弥陀《みだ》の本願《ほんがん》がまことだから、唯《ただ》その本願《ほんがん》を説かれた、釈尊《しゃくそん》*の教えにウソがあるはずはない。

釈迦《しゃか》の説法がまことならば、そのまま説かれた、善導大師《ぜんどうだいし》*の御釈《おんしゃく》*に偽《いつわ》りがあるはずがなかろ

たとい法然聖人《ほうねんしょうにん》にすかされまいらせて、念仏《ねんぶつ》して地獄《じごく》に堕《お》ちたりとも、さらに後悔《こうかい》すべからず候《そうろう》。

そのゆえは、自余《じよ》の行《ぎょう》を励《はげ》みて仏《ぶつ》になるべかりける身《み》が、念仏《ねんぶつ》を申《もう》して地獄《じごく》にも堕《お》ちて候《そうら》わばこそ、「すかされたてまつりて」という後悔《こうかい》も候《そうら》わめ。いずれの

***本願**　阿弥陀仏のお約束のこと。誓願ともいわれる。
***法然上人**　親鸞聖人の師。浄土宗の開祖。
***業**　行為。
***因**　原因。
***釈尊**　約二千六百年前、インドで仏教を説いた釈迦の尊称。
***善導大師**　中国の浄土仏教の大成者。
***御釈**　解釈されたもの。

う。

善導《ぜんどう》の御釈《おんしゃく》がまことならば、そのまま教えられた、法然上人《ほうねんしょうにん》の仰《おお》せにウソ偽《いつわ》りがあろう筈《はず》がないではないか。

法然《ほうねん》の仰《おお》せがまことならば、そのまま伝える親鸞《しんらん》の言うことも、そらごととは言えぬのではなかろうか。

つまるところ、親鸞《しんらん》の信心は斯《か》くのごとしだ。

この上は、念仏《ねんぶつ》を信じられようとも、お捨てになろうとも、おのおの方の勝手になさるがよ

行《ぎょう》も及《およ》び難《がた》き身《み》なれば、とても地獄《じごく》は一定《いちじょう》すみかぞかし。

弥陀《みだ》の本願《ほんがん》まことにおわしまさば、釈尊《しゃくそん》の説教《せっきょう》、虚言《きょ》なるべからず。仏説《ぶっせつ》まことにおわしまさば、善導《ぜんどう》の御釈《おんしゃく》、虚言《きょごん》したまうべからず。善導《ぜんどう》の御釈《おんしゃく》まことならば、法然《ほうねん》の仰《おお》せ、そらごとならんや。法然《ほうねん》の仰《おお》せまことならば、親鸞《しんらん》が申《もう》す旨《むね》、

かろう、
と聖人《しょうにん》は仰《おお》せになりました。

またもってむなしかるべからず候《そうろう》か。
詮《せん》ずるところ、愚身《ぐしん》が信心《しんじん》におきてはかくのごとし。このうえは、念仏《ねんぶつ》をとりて信《しん》じたてまつらんとも、またすてんとも、面々《めんめん》の御計《おんはか》らいなり、と云々《うんぬん》。

第三章

善人なおもって往生を遂ぐいわんや悪人をや
しかるを世の人つねにいわく悪人なお往生す
いかにいわんや善人をやこの条一旦そのいわれ
あるに似たれども本願他力の意趣に背けり
そのゆえは自力作善の人はひとえに他力を
たのむ心欠けたる間弥陀の本願にあらず
しかれども自力の心をひるがえして他力を
たのみたてまつれば真実報土の往生を遂

ぐるなり
煩悩具足の我らはいずれの行にても生死を
離るることあるべからざるを憐みたまいて
願をおこしたまう本意悪人成仏のため
なれば他力をたのみたてまつる悪人もっと
も往生の正因なり
よって善人だにこそ往生すれまして悪人は
と仰せ候いき

第三章 有名な悪人正機*を言われたもの

［意訳］
善人でさえ浄土《じょうど》へ生まれることができる、ましてや悪人は、なおさらだ。
それなのに世の人は、つねに言う。
悪人でさえ浄土《じょうど》へ往《ゆ》けるのだ、ましてや善人

［原文］
善人《ぜんにん》なおもって往生《おうじょう》を遂《と》ぐ、いわんや悪人《あくにん》をや。しかるを世《よ》の人《ひと》つねにいわく、「悪人《あくにん》なお往生《おうじょう》す、いかに

は、なおさら往《ゆ》ける。

このような考えは、一見もっともらしく思えるが、弥陀《みだ》*が本願《ほんがん》を建立された趣旨《しゅし》に反するのである。

なぜかと言えば、阿弥陀如来《あみだにょらい》は、すべての人は、「煩悩《ぼんのう》*の塊《かたまり》」であり、助かる縁《えん》なき極悪人と見ぬかれて、「我にまかせよ、必ず救う」と誓《ちか》われているからだ。

それなのに〝自分の励《はげ》む善で生死《しょうじ》の一大事《いちだいじ》*を

いわんや善人《ぜんにん》をや」。この条《じょう》、一旦《いったん》そのいわれあるに似《に》たれども、本願他力《ほんがんたりき》の意《い》趣《しゅ》に背《そむ》けり。

そのゆえは、自力作善《じりきさぜん》の人《ひと》は、ひとえに他力《たりき》をたのむ心《こころ》欠《か》けたる間《あいだ》、弥陀《みだ》の本《ほん》願《がん》にあらず。しかれども、自力《じりき》の心《こころ》をひるがえして、他力《たりき》をたのみたてまつれば、真実報土《しんじつほうど》の往生《おうじょう》を遂《と》ぐるな

*悪人正機　悪人を救うのが、阿弥陀仏の本願、ということ。
*弥陀　阿弥陀仏のこと。
*煩悩　欲や怒り、ねたみそねみなど、私たちを煩わせ悩ませるもの。
*生死の一大事　永久の苦患に沈むか、永遠の楽果を得るか、の一大事をいう。

解決できる〃と自惚《うぬぼ》れている善人は、極悪人と見極められて建てられた本願《ほんがん》を疑っているから、全幅《ぜんぷく》、弥陀《みだ》にまかせる心がない。ゆえに「弥陀《みだ》の本願《ほんがん》にあらず」。本願《ほんがん》の対象とはならないのである。

だがそんな人でも、弥陀《みだ》の徹見《てっけん》通り＊の自己に驚《おどろ》き、生死《しょうじ》の一大事《いちだいじ》は弥陀《みだ》にうちまかせて、浄土《じょうど》へ往《ゆ》けるのである。

煩悩《ぼんのう》にまみれ、どのような行《ぎょう》＊を励《はげ》むとも、到底《とうてい》、生死《しょうじ》の迷い＊を離《はな》れられぬ我々を不憫《ふびん》に思わ

り。

煩悩具足《ぼんのうぐそく》の我《われ》らはいずれの行《ぎょう》にても生死《しょうじ》を離《はな》るることあるべからざるを憐《あわ》れみたまいて願《がん》をおこしたまう本意《ほんい》、悪人成仏《あくにんじょうぶつ》のためなれば、他力《たりき》をたのみたてまつる悪人《あくにん》、もっとも往生《おうじょう》の正因《しょういん》なり。

よって善人《ぜんにん》だにこそ往生《おうじょう》すれ、まして悪人《あくにん》は、と仰《おお》せ候《そうら》いき。

れ建立されたのが、弥陀《みだ》の本願《ほんがん》。

悪人を成仏《じょうぶつ》させるのが弥陀《みだ》の本意だから、〝助かる縁《えん》なき者〟と、他力《たりき》＊にうちまかせる悪人こそ、浄土《じょうど》へ生まれる正客＊なのだ。

されば、善人でさえ浄土《じょうど》へ生まれるのだから、悪人はなおさらである、

と聖人《しょうにん》は仰《おお》せになりました。

＊徹見　真実を見抜く。
＊行　善い行い。善行。
＊生死の迷い　生まれ変わり死に変わり、苦しみ悩み経巡っていること。
＊他力　阿弥陀仏のお力。
＊正客　本当の目当ての人。

第四章

慈悲に聖道浄土のかわりめあり
聖道の慈悲というはものを憐れみ愛しみ
育むなりしかれども思うがごとく助け
遂ぐること極めてありがたし
浄土の慈悲というは念仏して急ぎ仏に
なりて大慈大悲心をもって思うがごとく
衆生を利益するをいうべきなり
今生にいかにいとおし不便と思うとも

存知のごとく助け難ければこの慈悲
始終なししかれば念仏申すのみぞ
末徹りたる大慈悲心にて候べきと云々

第四章
二つの慈悲を説かれたもの

[意訳]

慈悲《じひ》といっても、聖道仏教《しょうどうぶっきょう》*と浄土仏教《じょうどぶっきょう》*では違《ちが》いがある。

聖道仏教《しょうどうぶっきょう》の慈悲《じひ》とは、他人や一切のものを憐《あわ》れみ、いとおしみ、大切に守り育てることをい

[原文]

慈悲《じひ》に聖道《しょうどう》・浄土《じょうど》のかわりめあり。

聖道《しょうどう》の慈悲《じひ》というは、ものを憐《あわ》れみ愛《かな》しみ育《はぐく》むなり。

う。

しかしながら、どんなに努めても、思うように満足に助け切ることはほとんどありえないのである。

それに対して、浄土仏教《じょうどぶっきょう》で教える慈悲《じひ》とは、はやく弥陀《みだ》の本願《ほんがん》*に救われ念仏《ねんぶつ》する身となり、浄土《じょうど》で仏のさとり*を開き、大慈悲心《だいじひしん》を持って思う存分人々を救うことをいうのである。

この世で、かわいそう、なんとかしてやりた

しかれども、思《おも》うがごとく助《たす》け遂《と》ぐること、極《きわ》めてありがたし。

浄土《じょうど》の慈悲《じひ》というは、念《ねん》仏《ぶつ》して急《いそ》ぎ仏《ほとけ》になりて、大《だい》慈大悲心《じだいひしん》をもって思《おも》うがごとく衆生《しゅじょう》を利益《りやく》するをいうべきなり。

今生《こんじょう》に、いかにいとおし不便《ふびん》と思《おも》うとも、存知《ぞんじ》のごとく助《たす》け難《がた》ければ、この慈《じ》

＊**聖道仏教**　天台、真言、禅宗など、自力で修行に励み、さとりを開こうとする仏教。
＊**浄土仏教**　阿弥陀仏の救いを説く仏教。
＊**弥陀の本願**　阿弥陀仏のお約束。誓願ともいう。
＊**仏のさとり**　五十二あるさとりの中の、最高のさとりのこと。

いと、どんなに哀《あわ》れんでも、心底から満足できるように助けることはできないから、聖道《しょうどう》の慈《じ》悲《ひ》は、いつも不満足のままで終わってしまう。
されば、弥陀《みだ》の本願《ほんがん》に救われ念仏《ねんぶつ》する身になることのみが、徹底《てってい》した大慈悲心《だいじひしん》なのである、と聖人《しょうにん》は仰《おお》せになりました。

悲《ひ》始終《しじゅう》なし。しかれば念仏《ねんぶつ》申《もう》すのみぞ、末徹《すえとお》りたる大《だい》慈悲心《じひしん》にて候《そうろう》べき、と云々《うんぬん》。

第五章

親鸞は父母の孝養のためとて念仏一返にても申したることいまだ候はずそのゆゑは一切の有情は皆もつて世々生々の父母兄弟なりいずれもいずれもこの順次生に仏に成りて助け候べきなりわが力にて励む善にても候はゞこそ念仏を廻向して父母をも助け候はめたゞ自力をすてて急ぎ浄土のさとりを開きなば

六道四生のあいだいづれの業苦に沈めりとも神通方便をもってまず有縁を度すべきなりと云々

第五章

すべての人は父母兄弟
——真の孝行を示されたもの——

[意訳]

親鸞《しんらん》は、亡き父母の追善供養《ついぜんくよう》のために、念仏《ねんぶつ》一遍《いっぺん》、いまだかつて称《とな》えたことはない。

なぜならば、忘れ得ぬ父母を憶《おも》うとき、すべての生きとし生けるもの、無限に繰《く》りかえす生《しょう》

[原文]

親鸞《しんらん》は父母《ふも》の孝養《こうよう》のためとて念仏《ねんぶつ》、一返《いっぺん》にても申《もう》したること いまだ候《そうら》わず。

そのゆえは、一切《いっさい》の有情《うじょう》

死《じ》のなかで、いつの世か、父母兄弟であったであろうと、懐《なつ》かしく偲《しの》ばれてくる。されば誰彼《だれかれ》を問わず、次の生《しょう》に、仏になって助けあわねばならないからである。

念仏《ねんぶつ》が自分で励《はげ》む善根《ぜんごん》*ならば、その功徳《くどく》をさしむけて、父母を救えるかも知れないが、念仏《ねんぶつ》は私の善根《ぜんごん》ではないからそれはできない。

ただ、はやく本願《ほんがん》を計《はか》ろう自力の心*を捨てて、浄土《じょうど》で仏のさとりを開けば、どんな六道《ろくどう》*・四生《ししょう》*

は皆《みな》もって世々生々《せせしょうじょう》の父母《ふも》兄弟《きょうだい》なり。いずれもいずれも、この順次生《じゅんじしょう》に仏《ぶつ》に成《な》りて助《たす》け候《そうろう》べきなり。

わが力《ちから》にて励《はげ》む善《ぜん》にても候《そうら》わばこそ、念仏《ねんぶつ》を廻向《えこう》して父母《ふも》をも助《たす》け候《そうら》わめ、ただ自力《じりき》をすてて急《いそ》ぎ浄土《じょうど》のさとりを開《ひら》きなば、六道《ろくどう》四《し》生《しょう》のあいだ、いずれの業苦《ごうく》に沈《しず》めりとも、神通方便《じんずうほうべん》を

*善根　善い行い。
*自力の心　弥陀の本願に対する疑いや計らい。
*六道　苦しみの絶えない六つの世界。地獄・餓鬼・畜生・修羅・人間・天上界をいう。
*四生　一切の生物のこと。

の迷いの世界で、苦しみに沈《しず》んでいようとも、仏の方便力《ほうべんりき》*で縁《えん》の深い人々から救うことができよう、

と聖人《しょうにん》は仰《おお》せになりました。

もってまず有縁《うえん》を度《ど》すべきなり、と云々《うんぬん》。

＊仏の方便力　仏が苦悩の人びとを、真実の幸福に導く力。

第六章

専修念仏の輩のわが弟子ひとの弟子
という相論の候らんこともってのほかの
子細なり
親鸞は弟子一人ももたず候
そのゆゑはわが計らいにて人に念仏を
申させ候わばこそ弟子にても候わめ
ひとへに弥陀の御もよほしにあずかりて
念仏申し候人をわが弟子と申すこと極

めたる荒涼のことなり
つくべき縁あれば伴い離るべき縁あれば
離るることのあるをも師を背きて人に
つれて念仏すれば往生すべからざるもの
なりなんどいうこと不可説なり
如来より賜りたる信心をわがもの顔に取り返
さんと申すにやかえすがえすもあるべからざる
ことなり自然の理にあいかなわば仏恩をも知
りまた師の恩をも知るべきなりと云々

第六章
親鸞には弟子一人もなし
――すべて弥陀のお弟子――と言われたもの

[意訳]

弥陀《みだ》＊一仏を信じ、念仏《ねんぶつ》する人たちの中に、「私の弟子だ」「他人《ひと》の弟子だ」との争いがあるようだが、もってのほかのことである。

親鸞《しんらん》には、弟子など一人もいない。

[原文]

専修念仏《せんじゅねんぶつ》の輩《ともがら》の、「わが弟子《でし》、ひとの弟子《でし》」という相論《そうろん》の候《そうろう》らんこと、もってのほかの子細《しさい》なり。

そうではないか、私の裁量で仏法《ぶっぽう》を聞くようになり、念仏称《ねんぶつとな》えるようになったのなら、我が弟子ともいえよう。だが、まったく弥陀《みだ》のお力によって聞法《もんぼう》*し念仏《ねんぶつ》する人を、「わが弟子」と言うのは極めて傲慢不遜《ごうまんふそん》*である。

連《つ》れ添《そ》う縁《えん》あれば同行するが、離《はな》れる縁《えん》あれば別れねばならぬ。人の離合集散《りごうしゅうさん》は、入り組んだ因縁《いんねん》によるもの。「師に背き、他人《ひと》に従い念《ねん》仏《ぶつ》する者は、浄土《じょうど》へは往《ゆ》けない」などとは、決

＊弥陀　阿弥陀仏のこと。
＊聞法　仏法を聞くこと。
＊傲慢不遜　思い上がって他人を見下すこと。

親鸞《しんらん》は弟子《でし》一人《いちにん》ももたず候《そうろう》。

そのゆえは、わが計《はか》らいにて人《ひと》に念仏《ねんぶつ》を申《もう》させ候《そうら》わばこそ、弟子《でし》にても候《そうら》わめ、ひとえに弥陀《みだ》の御《おん》もよおしにあずかりて念仏申《ねんぶつもう》し候人《そうろうひと》を、「わが弟子《でし》」と申《もう》すこと、極《きわ》めたる荒涼《こうりょう》のことなり。

つくべき縁《えん》あれば伴《ともな》い、

して言うべきことではない。

弥陀《みだ》より賜《たまわ》った信心を、自分が与《あた》えたかのように錯覚《さっかく》し、取り返そうとでもいうのだろうか。思《おも》い違《ちが》いも甚《はなは》だしい。言語道断、あってはならないことだ。

真《まこと》の弥陀《みだ》の救いに遇《あ》えば、自《おの》ずと仏のご恩をも知り、師の恩も知られるものである、と聖人《しょうにん》は仰《おお》せになりました。


離《はな》るべき縁《えん》あれば離《はな》るることのあるをも、「師《し》を背《そむ》きて人《ひと》につれて念仏《ねんぶつ》すれば、往生《おうじょう》すべからざるものなり」なんどいうこと不可説《ふかせつ》なり。如来《にょらい》より賜《たまわ》りたる信心《しんじん》を、わがもの顔《がお》に取《と》り返《かえ》さんと申《もう》すにや。かえすがえすも、あるべからざることなり。自然《じねん》の理《ことわり》にあいかなわば、仏恩《ぶっとん》をも知《し》り、また師《し》の恩《おん》をも知《し》るべきなり、と云々《うんぬん》。

第七章

念仏者は無碍の一道なり　そのいはれ如何とならば信心の行者には天神地祇も敬伏し魔界外道も障碍することなし罪悪も業報を感ずることあたはず諸善も及ぶことなきゆゑに無碍の一道なりと云ゝ

第七章
弥陀に救われた人、についていて言われたもの

意訳

弥陀《みだ》に救われ念仏《ねんぶつ》する者は、一切が障りにならぬ幸福者である。

なぜならば、弥陀《みだ》より信心を賜《たま》った者には、天地の神も敬って頭を下げ、悪魔《あくま》や外道《げどう》*の輩《やから》も

原文

念仏者《ねんぶつしゃ》は無碍《むげ》の一道《いちどう》なり。
そのいわれ如何《いかん》とならば、信心《しんじん》の行者《ぎょうじゃ》には、天神《てんじん》・地《ち》祇《ぎ》も敬伏《きょうぶく》し、魔界《まかい》・外道《げどう》も

*外道　仏教以外のすべての宗教。

妨《さまた》げることができなくなる。犯したどんな大罪も苦とはならず、いかに優れた善行《ぜんぎょう》の結果も及《およ》ばないから、絶対の幸福者*である、と聖人《しょうにん》は仰《おお》せになりました。

障碍《しょうげ》することなし。罪悪《ざいあく》も業報《ごうほう》を感《かん》ずることあたわず、諸善《しょぜん》も及《およ》ぶことなきゆえに、無碍《むげ》の一道《いちどう》なり、と云々《うんぬん》。

*絶対の幸福者　絶対に変わらぬ幸福になった人。

第八章

念仏は行者のために非行非善なり
わが計らいにて行ずるにあらざれば非行
という　わが計らいにてつくる善にもあら
ざれば非善という
ひとえに他力にして自力を離れたる
ゆえに行者のためには非行非善なり
と云々

第八章　他力の念仏、について言われたもの

［意訳］

称《とな》える念仏《ねんぶつ》は、弥陀《みだ》に救われた人には「行《ぎょう》」でもなければ「善」でもない。非行《ひぎょう》・非善《ひぜん》である。

自分の思慮《しりょ》*で称《とな》える念仏《ねんぶつ》ではないから「行《ぎょう》」とは言えない。ゆえに非行《ひぎょう》という。また、自分

［原文］

念仏《ねんぶつ》は行者《ぎょうじゃ》のために非行《ひぎょう》・非善《ひぜん》なり。

わが計《はか》らいにて行《ぎょう》ずるにあらざれば非行《ひぎょう》という、わが計《はか》らいにてつくる善《ぜん》にもあらざれば非善《ひぜん》という。

＊思慮　考えや分別、計らいのこと。

の分別で称《とな》える念仏《ねんぶつ》ではないから「善」とは言えない。ゆえに非善《ひぜん》という。

まったく弥陀《みだ》のお力で、私の計《はか》らい離《はな》れた念仏《ねん》だから、称《とな》える人には「行《ぎょう》」でもなければ「善」でもないのである、と聖人《しょうにん》は仰《おお》せになりました。

ひとえに他力《たりき》にして自力《じりき》を離《はな》れたるゆえに、行者《ぎょうじゃ》のためには非行《ひぎょう》・非善《ひぜん》なり、と云々《うんぬん》。

第九章

念仏申し候へども踊躍歓喜の心おろそかに候ことまた急ぎ浄土へ参りたき心の候はぬはいかにと候べきことにて候やらんと申しいれて候いしかば親鸞もこの不審ありつるに唯円房同じ心にてありけりよくよく案じみれば天におどり地におどるほどに喜ぶべきことを喜ばぬにていよいよ往生は一定と思いたまうべきなり

喜ぶべき心を抑へて喜ばせざるは煩悩の
所為なり しかるに仏かねて知ろしめして
煩悩具足の凡夫と仰せられたることなれば
他力の悲願はかくのごときの我らがためなり
けりと知られていよいよ頼もしく覚ゆるなり
また浄土へ急ぎ参りたき心のなくていささか
所労のこともあれば死なんずるやらんと心細く
覚ゆることも煩悩の所為なり
久遠劫より今まで流転せる苦悩の旧里はすて

がたく　いまだ生まれざる安養の浄土は恋し
からず候こと　まことによくよく煩悩の興盛に
候にこそ
名残惜しく思へども　娑婆の縁つきて力なくして
終わるときに　かの土へは参るべきなり　急ぎ
参りたき心なき者を　ことに憐れみたまふなり
これにつけてこそ　いよいよ大悲大願は頼もしく
往生は決定と存じ候へ
踊躍歓喜の心もあり　急ぎ浄土へも参り

たく候わんには煩悩のなきやらんとあや
しく候いなまし　と云々

第九章
念仏すれど喜べない
――唯円房の不審に答えられたもの――

［意訳］

「私は念仏《ねんぶつ》を称《とな》えましても、天に踊《おど》り地に躍《おど》る歓喜《かんぎ》の心がありません。また、浄土《じょうど》へ早く往《ゆ》きたい心も起きません。これは、どういうわけでありましょう」と、率直にお尋《たず》ねしたところ、

［原文］

「念仏《ねんぶつ》申《もう》し候《そうら》えども、踊躍《ゆやく》歓喜《かんぎ》の心《こころ》おろそかに候《そうろう》こと、また急《いそ》ぎ浄土《じょうど》へ参《まい》りたき心《こころ》の候《そうら》わぬは、いかにと候《そうろう》べ

「親鸞《しんらん》も同じ不審《ふしん》を懐《いだ》いていたが、唯円房《ゆいえんぼう》、そなたもか」と仰《おお》せられ、

「よくよく考えてみれば、助かる縁《えん》なき者が助けられた不可思議は、天に踊《おど》り地に躍《おど》るほど喜んで当然なのだ。それを喜ばぬ者だからこそ、〝往生《おうじょう》＊間違いなし〟と明らかに知らされるではないか。

　喜んで当たり前のことを喜ばせないのは、煩悩《ぼんのう》＊のしわざ。弥陀《みだ》＊は、とっくの昔から私たちを

きことにて候《そうろう》やらん」と申《もう》しいれて候《そうら》いしかば、

「親鸞《しんらん》もこの不審《ふしん》ありつるに、唯円房《ゆいえんぼう》、同《おな》じ心《こころ》にてありけり。よくよく案《あん》じみれば、天《てん》におどり地《ち》におどるほどに喜《よろこ》ぶべきことを喜《よろこ》ばぬにて、いよいよ往生《おうじょう》は一定《いちじょう》と思《おも》いたまうべきなり。

　喜《よろこ》ぶべき心《こころ》を抑《おさ》えて喜《よろこ》ばせざるは、煩悩《ぼんのう》の所為《しょい》なり。

＊往生　浄土へ往くこと。
＊煩悩　欲や怒り、ねたみそねみなど、私たちを煩わせ悩ませるもの。
＊弥陀　阿弥陀仏のこと。

『煩悩《ぼんのう》の塊《かたまり》』とお見抜《みぬ》きになっている。弥陀《みだ》の本願《ほんがん》は、このような痺《しび》れきった私たちのためだったと知られて、いよいよ頼《たの》もしく思えるのだ。

また、浄土《じょうど》へ急いで往《ゆ》きたい心もなく、ちょっとした病気にでもかかると、〝死ぬのではなかろうか〟と心細く思えてくる。これも煩悩《ぼんのう》のしわざである。

果てしない過去*から今日《こんにち》まで、生まれ変わり死に変わりしてきた世界は、すべて苦悩《くのう》に充《み》ちた難所だったが、故郷《ふるさと》のごとく棄《す》て難《がた》く、明ら

しかるに仏《ぶつ》かねて知《し》ろしめして、煩悩具足《ぼんのうぐそく》の凡夫《ぼんぶ》と仰《おお》せられたることなれば、他《た》力《りき》の悲願《ひがん》は、かくのごときの我《われ》らがためなりけりと知《し》られて、いよいよ頼《たの》もしく覚《おぼ》ゆるなり。

また浄土《じょうど》へ急《いそ》ぎ参《まい》りたき心《こころ》のなくて、いささか所労《しょろう》のこともあれば、死《し》なんずるやらんと心細《こころぼそ》く覚《おぼ》ゆることも、煩悩《ぼんのう》の所為《しょい》なり。

かな弥陀《みだ》の浄土《じょうど》は少しも恋《こい》しく思えない。いよいよもって、煩悩《ぼんのう》のいかに強く激しいかが知らされる。

しかし、どんなに名残惜《なごりお》しく思えども、この世の縁《えん》つき生きる力を失えば、弥陀《みだ》の浄土《じょうど》へ参るのだ。

浄土《じょうど》へ急ぐ心のなき者を、なおさら弥陀《みだ》は、いとおしく憐《あわ》れみ下さるのである。

こんな浅ましい身を照らされるほど、弥陀《みだ》の

久遠劫《くおんごう》より今《いま》まで流転《るてん》せる苦悩《くのう》の旧里《きゅうり》はすてがたく、いまだ生《う》まれざる安養《あんよう》の浄《じょう》土《ど》は恋《こい》しからず候《そうろう》こと、まことによくよく煩悩《ぼんのう》の興盛《こうじょう》に候《そうろう》にこそ。

名残惜《なごりお》しく思《おも》えども、娑《しゃ》婆《ば》の縁《えん》つきて力《ちから》なくして終《お》わるときに、かの土《ど》へは参《まい》るべきなり。急《いそ》ぎ参《まい》りたき心《こころ》なき者《もの》を、ことに憐《あわ》れみ

＊果てしない過去　この肉体が生まれる前の、気の遠くなる昔。

大願《だいがん》*は頼《たの》もしく〝往生《おうじょう》間違《まちが》いなし〟と知らされるのだ。大歓喜《だいかんぎ》が湧《わ》きあがり、浄土《じょうど》へ急ぐ心があれば、煩悩《ぼんのう》のなき私は本願《ほんがん》に漏《も》れているのではないかと、却《かえ》って按《あん》ぜられるのではなかろうか」

と聖人《しょうにん》は仰《おお》せになりました。

*弥陀の大願　阿弥陀仏の本願のこと。

たまうなり。

これにつけてこそ、いよいよ大悲大願《だいひだいがん》は頼《たの》もしく、往生《おうじょう》は決定《けつじょう》と存《ぞん》じ候《そうら》え。踊躍歓喜《ゆやくかんぎ》の心《こころ》もあり、急《いそ》ぎ浄土《じょうど》へも参《まい》りたく候《そうら》わんには、煩悩《ぼんのう》のなきやらんと、あやしく候《そうら》いなまし」と云《うん》々《ぬん》。

第十章

念仏には無義をもて義とす
不可称 不可説 不可思議のゆへに
と仰せ候ひき

第十章

他力不思議の念仏、を言われたもの

［意訳］

念仏《ねんぶつ》には、計《はか》らい無きことを謂《いわ》れとする。

自力の計《はか》らい尽《つ》きた、他力不思議《たりきふしぎ》の念仏《ねんぶつ》＊は、言うことも説くことも、想像すらもできない、人智《じんち》を超《こ》えたものだから、と聖人《しょうにん》は仰《おお》せになりました。

［原文］

念仏《ねんぶつ》には無義《むぎ》をもって義《ぎ》とす、不可称《ふかしょう》・不可説《ふかせつ》・不可思議《ふかしぎ》のゆえに、と仰《おお》せ候《そうら》いき。

＊他力不思議の念仏　阿弥陀仏のお力で称えさせられる念仏。

別序

［意訳］

そもそも、親鸞聖人《しんらんしょうにん》ご存命の頃《ころ》は、同じ志をもって関東よりはるばる京都まで足を運び、聖人《しょうにん》と一味の信心を獲《え》て弥陀《みだ》の浄土《じょうど》に生まれたいと願った人たちは、直接、聖人《しょうにん》から教えを受けたので、特に問題はなかったが、お弟子たちから仏法《ぶっぽう》を聞き念仏《ねんぶつ》する人が多くなるにつれ、聖《しょう》

［原文］

そもそもかの御在生《ございしょう》の昔《むかし》、同《おな》じ志《こころざし》にして歩《あゆ》みを遼遠《りょうえん》の洛陽《らくよう》に励《はげ》まし、信《しん》を一《ひと》つにして心《こころ》を当来《とうらい》の報土《ほうど》にかけし輩《ともがら》は、同時《どうじ》に御意趣《ごいしゅ》を承《うけたまわ》りしかども、その人々《ひとびと》に伴《ともな》いて念仏申《ねんぶつもう》さるる老若《ろうにゃく》、そ

人《にん》の仰《おお》せならざる異説が、近頃《ちかごろ》さかんに伝えられていると、人づてに聞いている。嘆《なげ》かわしいことである。それらの異説と誤りを、以下に述べよう。

の数《かず》を知《し》らずおわします中《なか》に、聖人《しょうにん》の仰《おお》せにあらざる異義《いぎ》どもを、近来《ちかごろ》は多《おお》く仰《おお》せられおうて候由《そうろうよし》、伝《つた》え承《うけたまわ》る。いわれなき条々《じょうじょう》の子細《しさい》のこと。

編集にあたって

十一章から十八章まで批判されている邪説《じゃせつ》は、今日《こんにち》はあまり耳にすることのないものが多いので、意訳は割愛し要約のみにした。それでも原文を知りたい読者の為《ため》に、第三部に掲載《けいさい》したので、参照されたい。

第十一章

要約

『誓願不思議《せいがんふしぎ》』も『名号不思議《みょうごうふしぎ》』も、同じ弥陀《みだ》の願力不思議《がんりきふしぎ》のことなのに、「お前は誓願不思議《せいがんふしぎ》を信じて念仏《ねんぶつ》するのか、名号不思議《みょうごうふしぎ》を信じて念仏《ねんぶつ》するのか」と、殊更《ことさら》に問題視し人々を惑《まど》わした邪義《じゃぎ》*を嘆《なげ》き、正したもの。

第十二章

要約

「仏教の大事な経典《きょうてん》や釈文《しゃくもん》を勉学しない者は、弥陀《みだ》の浄土《じょうど》へ往生《おうじょう》できない」という邪義《じゃぎ》を嘆《なげ》き、正したもの。

第十三章

【要約】

「どんな悪を犯しても助ける弥陀《みだ》の本願《ほんがん》だからと、少しも悪を怖《おそ》れない者は、本願《ほんがん》ぼこり*で往生《おうじょう》できない」という邪義《じゃぎ》を嘆《なげ》き、正したもの。

第十四章

【要約】

「一回の念仏《ねんぶつ》で、八十億劫《はちじゅうおくこう》*の重罪が消えると信じて、一声でも多く念仏《ねんぶつ》を励《はげ》まねばならぬ」という邪義《じゃぎ》を嘆《なげ》き、正したもの。

＊邪義　よこしまな間違った教え。
＊本願ぼこり　阿弥陀仏の本願を誇りに思うこと。
＊八十億劫　気の遠くなる期間をいう。

第十五章

［要約］

「信心を獲得《ぎゃくとく》したということは、煩悩具足《ぼんのうぐそく》*のままで、この世でさとりを開くことだ」という邪義《じゃぎ》を嘆《なげ》き、正したもの。

第十六章

［要約］

「弥陀《みだ》に救われた者は、腹を立てたり罪を犯したり、法友《ほうゆう》*と口論した時などは、必ず廻心懺悔《えしんさんげ》*するようにならねばならぬ」という邪義《じゃぎ》を嘆《なげ》き、正したもの。

第十七章

【要約】

「浄土《じょうど》の辺地《へんじ》*に往生《おうじょう》した人は、やがて地獄《じごく》に堕《お》ちねばならぬ」という邪義《じゃぎ》を嘆《なげ》き、正したもの。

第十八章

【要約】

「仏法《ぶっぽう》に供養する金品の多少によって、死後、仏のさとりを開いた時、大きな仏になったり小さな仏になったりする」という邪義《じゃぎ》を嘆《なげ》き、正したもの。

***煩悩具足**　煩悩の塊ということ。雪ダルマは雪の塊。
***法友**　仏法を聞き求める友達。
***廻心懺悔**　心をひるがえし、悔い改めること。
***辺地**　浄土の近辺をいう。

後序

［意訳］

以上あげた邪説《じゃせつ》はすべて、主張者の信心が聖《しょう》人《にん》*の信心と異なっていたからだと思われる。

このような話を生前、聖人《しょうにん》からお聞きしたことがある。

法然上人《ほうねんしょうにん》には多くのお弟子があったが、同じ信心の人が少なかったからであろう。親鸞《しんらん》さま

［原文］

右条々《みぎじょうじょう》は皆《みな》もって、信心《しんじん》の異《こと》なるより起《お》こり候《そうろう》か。故聖人《こしょうにん》の御物語《おんものがたり》に、法然《ほうねん》聖人《しょうにん》の御時《おんとき》、御弟子《おんでし》その数《かず》多《おお》かりける中《なか》に、同《おな》じ御信《ごしん》心《じん》の人《ひと》も少《すく》なくおわしけるにこそ、親鸞御同朋《しんらんおんどうぼう》の御中《おんなか》

とお友達《ともだち》の間で論争が起きた。発端《ほったん》は、聖人《しょうにん》の発言だった。

「この善信《ぜんしん》(当時、聖人《しょうにん》は善信《ぜんしん》と言われていた)の信心も、法然上人《ほうねんしょうにん》のご信心も同一です」

これを聞いた勢観房《せいかんぼう》や念仏房《ねんぶつぼう》*らは、〝もってのほかの暴言だ〟と息巻き、「どうして智慧第《ちえだい》一《いち》と言われるお師匠《ししょう》さまのご信心と、弟子の善《ぜん》信房《しんぼう》の信心が同一と言えるのか」と激高*した。

「恩師・法然《ほうねん》さまの深いお智恵《ちえ》や広い学問と

にして御相論《ごそうろん》のこと候《そうら》いけり。

そのゆえは、「善信《ぜんしん》が信《しん》心《じん》も聖人《しょうにん》の御信心《ごしんじん》も一《ひと》つなり」と仰《おお》せの候《そうら》いければ、勢観房《せいかんぼう》・念仏房《ねんぶつぼう》なんど申《もう》す御同朋達《おんどうぼうたち》、もってのほかに争《あらそ》いたまいて、「いかでか聖人《しょうにん》の御信心《ごしんじん》に善信房《ぜんしんぼう》の信《しん》心一《じんひと》つにはあるべきぞ」と候《そうら》いければ、「聖人《しょうにん》の御智《おんち》

*聖人　親鸞聖人のこと。
*勢観房や念仏房　法然上人の高弟。
*激高　激しく怒ること。

〝私の智恵《ちえ》や学問が同じだ〟と言ったのなら、お怒《いか》りの通りだが、浄土往生《じょうどおうじょう》の信心においては、まったく異なるところはありませぬ、ただ一つです」

聖人《しょうにん》の回答にも、一同はなおも納得できず、「どうして、そんなことが言えるのか」と、聖《しょう》人《にん》への疑謗《ぎほう》＊や非難が続出した。

やむなく法然上人《ほうねんしょうにん》のご裁断を仰《あお》ぐこととなり、論争の一部始終を申しあげると、法然《ほうねん》さまはこのように仰《おお》せになった。

慧才覚博《えさいかくひろ》くおわしますに、一《ひと》つならんと申《もう》さばこそ僻《ひが》事《ごと》ならめ、往生《おうじょう》の信心《しんじん》においては全《まった》く異《こと》なることなし、ただ一《ひと》つなり」と御返答《ごへんとう》ありけれども、なお「いかでかその義《ぎ》あらん」という疑《ぎ》難《なん》ありければ、詮《せん》ずるところ聖人《しょうにん》の御前《おんまえ》にて自他《じた》の是《ぜ》非《ひ》を定《さだ》むべきにて、この子《し》細《さい》を申《もう》し上《あ》げければ、法然《ほうねん》聖人《しょうにん》の仰《おお》せには、「源空《げんくう》が

「源空《げんくう》（法然上人《ほうねんしょうにん》の別名）の信心も弥陀《みだ》*より賜《たまわ》った信心、善信房《ぜんしんぼう》の信心も弥陀《みだ》より賜《たまわ》った信心。まったく同一である。異なる信心の人は、私の参る浄土《じょうど》へは、往《ゆ》かれることはできますまい」

このようなお話からも、当時、弥陀《みだ》一仏を信じ念仏《ねんぶつ》する人びとの中にも、親鸞《しんらん》さまのご信心と異なる人のあったことが窺《うかが》える。

どれも同じことの繰《く》りごとではあるが、一応

＊疑謗　疑ったり、そしったりすること。
＊弥陀　阿弥陀仏のこと。

信心《しんじん》も如来《にょらい》より賜《たまわ》りたる信《しん》心《じん》なり、善信房《ぜんしんぼう》の信心《しんじん》も如《にょ》来《らい》より賜《たまわ》らせたまいたる信《しん》心《じん》なり、さればただ一《ひと》つなり。別《べつ》の信心《しんじん》にておわしまさん人《ひと》は、源空《げんくう》が参《まい》らんずる浄土《じょうど》へは、よも参《まい》らせたまい候《そうら》わじ」と仰《おお》せ候《そうら》いしかば、当時《とうじ》の一向専修《いっこうせんじゅ》の人《ひと》々《びと》の中《なか》にも、親鸞《しんらん》の御信心《ごしんじん》に一《ひと》つならぬ御《おん》ことも候《そうろう》ら

書きつけてみた。

露《つゆ》の命が、枯《か》れ草《くさ》のような身にかかっている間に、これまで連れ立ってきた人たちのご不審《ふしん》な点をお聞きし、聖人《しょうにん》の仰《おお》せられたことなどをお話ししてきたが、私が世を去った後はさぞかし、さまざまな異説がいり乱れるのではなかろうかと心に掛《か》かり、ここに書き残すことにした。

もし先述のような邪義《じゃぎ》を言いふらす者たちに惑《まど》わされるようなことがあるときには、亡き聖《しょう》

んとおぼえ候《そうろう》。いずれもいずれも繰《く》り言《ごと》にて候《そうら》えども、書《か》き付《つ》け候《そうろう》なり。

露命《ろめい》わずかに枯草《こそう》の身《み》にかかりて候《そうろう》ほどにこそ、相《あい》伴《とも》なわしめたまう人々《ひとびと》、御不《ごふ》審《しん》をも承《うけたまわ》り、聖人《しょうにん》の仰《おお》せの候《そうら》いし趣《おもむき》をも申《もう》し聞《き》かせ参《まい》らせ候《そうら》えども、閉眼《へいがん》の後《のち》は、さこそしどけなき事《こと》どもにて候《そうら》わんずらめと歎《なげ》き存《ぞん》じ

人《にん》の御心《みこころ》にかない、聖人《しょうにん》がご使用になった聖教《しょうぎょう》＊などを、よくよく念をいれてご覧になるがよかろう。

だいたい聖教《しょうぎょう》には、真実がそのまま説かれているものと、その真実へ誘導《ゆうどう》する権仮方便《ごんけほうべん》＊が混在しているものである。

ゆえに聖教《しょうぎょう》を拝読するときには、方便《ほうべん》を捨てて真実を取り、仮《け》を離《はな》れて真につくことが聖人《しょうにん》

＊聖教　仏教の書物。
＊権仮方便　真実に導くために絶対必要なこと。

候《そうら》いて、かくのごとくの義《ぎ》ども仰《おお》せられあい候人々《そうろうひとびと》にも、言《い》い迷《まよ》わされなんどせらるることの候《そうら》わんときは、故聖人《こしょうにん》の御心《おんこころ》にあいかないて御用《おんもち》い候御聖教《そうろうおんしょうぎょう》どもを、よくよく御覧候《ごらんそうろう》べし。

おおよそ聖教《しょうぎょう》には、真実《しんじつ》・権仮《ごんけ》ともに相交《あいまじ》わり候《そうろう》なり。権《ごん》をすてて実《じつ》をとり、仮《け》をさしおきて真《しん》を用《もち》いるこそ、

の御本意《ごほんい》なのだ。

だからといって、勝手に解釈《かいしゃく》すればよい、ということでは決してない。

くれぐれも注意に注意を重ねて、お聖教《しょうぎょう》の真意を取りあやまってはならない。

その真実を知る目安に、大切なご文を少しばかり抜《ぬ》き取《と》って、この書に添《そ》えておくことにした。

聖人《しょうにん》が常に、おっしゃっていたお言葉がある。

聖人《しょうにん》の御本意《ごほんい》にて候《そうら》え。かまえてかまえて聖教《しょうぎょう》を見乱《みみだ》らせたまうまじく候《そうろう》。

大切《たいせつ》の証文《しょうもん》ども、少々抜《しょうしょうぬ》き出《い》で参《まい》らせ候《そうろう》て、目安《めやす》にしてこの書《しょ》に添《そ》え参《まい》らせて候《そうろう》なり。

聖人《しょうにん》の常《つね》の仰《おお》せには、

「弥陀《みだ》が五劫《ごこう》＊という永い間、熟慮《じゅくりょ》に熟慮《じゅくりょ》を重ねてお誓《ちか》いなされた本願《ほんがん》を、よくよく思い知らされれば、まったく親鸞《しんらん》一人のためだった。こんな量り知れぬ悪業《あくごう》＊をもった親鸞《しんらん》を、助けんと奮い立ってくだされた本願《ほんがん》の、なんと有り難くかたじけないことなのか」

いまもまた、そのご述懐《じゅっかい》が思い出されるのだが、善導大師《ぜんどうだいし》の、

＊五劫　気の遠くなる期間をいう。
＊悪業　罪や悪。

「弥陀《みだ》の五劫《ごこう》思惟《しゆい》の願《がん》をよくよく案《あん》ずれば、ひとえに親鸞一人《しんらんいちにん》が為《ため》なりけり、されば若干《そくばく》の業《ごう》をもちける身《み》にてありけるを、助《たす》けんと思《おぼ》し召《め》したちける本願《ほんがん》のかたじけなさよ」と御述懐候《ごじゅっかいそうら》いしことを、今《いま》また案《あん》ずるに、善導《ぜんどう》の「自身《じしん》はこれ現《げん》に罪悪生死《ざいあくしょうじ》の凡夫《ぼんぶ》、曠劫《こうごう》よりこのかた、常《つね》に沈《しず》み常《つね》に

「私はいまも罪悪を犯し続け、苦しみ迷っている人間。はるかな過去*から常に苦海に沈《しず》み、生《しょう》死《じ》を繰《く》り返《かえ》し、迷界*から離《はな》れる縁《えん》あることなき身と知る」

というご金言と、少しもたがわぬことが知らされる。

されば先の聖人《しょうにん》のお言葉は、もったいなくもご自身のことに引き寄せて、我々がいかに、罪《ざい》悪深重《あくじんじゅう》*の者かということを知らず、その我々を

流転《るてん》して、出離《しゅっり》の縁《えん》あることなき身《み》と知《し》れ」という金《きん》言《げん》に、少《すこ》しも違《たが》わせおわしまさず。

さればかたじけなく、わが御身《おんみ》にひきかけて、われらが身《み》の罪悪《ざいあく》の深《ふか》きほどをも知《し》らず、如来《にょらい》の御恩《ごおん》の高《たか》

憐《あわ》れみたもう弥陀《みだ》の大恩をも知らないか、深く眠《ねむ》りこけている私たちの迷いを覚醒《かくせい》させせんがためにちがいない。

実際、阿弥陀仏《あみだぶつ》の御恩《ごおん》については、少しも語ろうとしないで、誰《だれ》も彼《かれ》もが、善悪ばかりを問題にしてはいないだろうか。

親鸞聖人《しんらんしょうにん》が仰《おお》せられたことがある。

「親鸞《しんらん》は、何が善やら悪やら、二つともまった

きことをも知《し》らずして迷《まよ》えるを、思《おも》い知《し》らせんが為《ため》にて候《そうら》いけり。

まことに如来《にょらい》の御恩《ごおん》ということをば沙汰《さた》なくして、我《われ》も人《ひと》も善《よ》し悪《あ》しということをのみ申《もう》しあえり。聖人《しょうにん》の仰《おお》せには、「善悪《ぜんあく》の二《ふた》つ、総《そう》じてもって存知《ぞんじ》せざるなり。そのゆえは、如来《にょらい》の御《おん》

＊はるかな過去　この肉体が生まれる前の、気の遠くなる昔。
＊迷界　苦しみの絶えない世界。
＊罪悪深重　罪が深く重いこと。

く分からない。そうではないか、如来《にょらい》*が『それは善である』とお思いになるほど知りぬいていれば、善を知っているともいえよう。如来《にょらい》が『悪だ』とお思いになるほど知りぬいていれば、悪を知っているともいえるだろう。

なんといっても、火宅《かたく》*のような不安な世界に住む、煩悩《ぼんのう》*にまみれた人間のすべては、そらごと、たわごとばかりで、真実《まこと》は一つもない。ただ弥陀《みだ》より賜《たまわ》った念仏《ねんぶつ》のみが、まことである」

心《こころ》に善《よ》しと思《おぼ》し召《め》すほどに知《し》りとおしたらばこそ、善《よ》きを知《し》りたるにてもあらめ、如来《にょらい》の悪《あ》しと思《おぼ》し召《め》すほどに知《し》りとおしたらばこそ、悪《あ》しさを知《し》りたるにてもあらめど、煩悩具足《ぼんのうぐそく》の凡夫《ぼんぶ》・火宅無常《かたくむじょう》の世界《せかい》は、万《よろず》のこと皆《みな》もってそらごと・たわごと・真実《まこと》あることなきに、ただ念仏《ねんぶつ》のみぞまことにておわします」とこそ、仰《おお》せ

本当に、考えてみれば我も他人《ひと》も、そらごとばかり言い合っているのだが、一つ嘆《なげ》かわしいことをあげておかねばならない。

それはと言えば、念仏《ねんぶつ》の称《とな》え心《ごころ》や信心の仔細《しさい》を、語りあったり伝えるときに、相手を黙《だま》らせ、自己の主張を通さんがために、聖人《しょうにん》の全くおっしゃらなかったことを、「親鸞《しんらん》さまのおっしゃったことだ」と言い張ることの嘆《なげ》かわしさである。かようなときは、特に注意しなければなら

は候《そうら》いしか。

まことに我《われ》も人《ひと》も空言《そらごと》をのみ申《もう》しあい候中《そうろうなか》に、一《ひと》つ痛《いた》ましきことの候《そうろう》なり。そのゆえは、念仏申《ねんぶつもう》すについて信心《しんじん》の趣《おもむき》をもたがいに問《もん》答《どう》し、人《ひと》にも言《い》い聞《き》かするとき、人《ひと》の口《くち》をふさぎ相論《そうろん》を絶《た》たんために、全《まった》く仰《おお》せにてなきことをも仰《おお》せとのみ申《もう》すこと、浅《あさ》ましく歎《なげ》き

＊如来　仏のこと。
＊火宅　火のついた家のこと。
＊煩悩　欲や怒り、ねたみそねみなど、私たちを煩わせ悩ませるもの。

ないことである。

これまで記してきたことは、決して私の思いつきではないけれども、なにしろ経典《きょうてん》やその解《かい》釈文《しゃくぶん》などを十分に理解しているとは言えず、聖《しょう》教《ぎょう》の浅深《せんじん》に明るい私でもないから、さぞかしおかしなところもあろうが、かつて親鸞《しんらん》さまのおっしゃったことの百分の一ほどの、わずかながらでも思い起こして書き記した次第である。

存《ぞん》じ候《そうろう》なり。この旨《むね》をよくよく思《おも》い解《と》き、心得《こころえ》らるべきことに候《そうろう》。

これさらに私《わたくし》の言葉《ことば》にあらずといえども、経釈《きょうしゃく》の行《ゆ》く路《じ》も知《し》らず、法文《ほうもん》の浅深《せんじん》を心得《こころえ》わけたることも候《そうら》わねば、定《さだ》めておかしきことにてこそ候《そうら》わめども、故親《こしん》鸞聖人《らんしょうにん》の仰《おお》せ言候《ごとそうら》いし趣《おもむき》、百分《ひゃくぶん》が一《ひと》つ、片端《かたはし》ばかりを稀《まれ》に恵《めぐ》まれて、念仏《ねんぶつ》する身になりながら、直ちに真実の浄土《じょうど》へ生まれずして、永く辺地《へんじ》*にとどまることがあれば、まことに悲しいことではなかろうか。

ともに聞法《もんぼう》*し教えを学んだ法友《ほうゆう》に、異なる信心のないようにと、泣く泣く筆をとり、この書を記したのである。

『歎異抄《たんにしょう》』と名づけようと思う。

仏縁《ぶつえん》*なき人の目に触《ふ》れないようにして貰《もら》いたい。

も思《おも》い出で参《まい》らせて書《か》き付《つ》け候《そうろう》なり。

悲《かな》しきかなや、幸《さいわ》いに念《ねん》仏《ぶつ》しながら、直《じき》に報土《ほうど》に生《う》まれずして辺地《へんじ》に宿《やど》をとらんこと。一室《いっしつ》の行者《ぎょうじゃ》の中《なか》に信心異《しんじんこと》なることなからんために、泣《な》く泣《な》く筆《ふで》を染《そ》めてこれを記《しる》す。

名《な》づけて歎異抄《たんにしょう》というべし。外見《がいけん》あるべからず。

＊辺地　浄土の近辺をいう。
＊聞法　仏法を聞くこと。
＊仏縁　阿弥陀仏とのかかわり。

【流罪*にまつわる記録】

後鳥羽上皇《ごとばじょうこう》の御代《みよ》に、法然聖人《ほうねんしょうにん》が他力本願念仏《たりきほんがんねんぶつ》の一宗を興宣《こうせん》*された。

南都《なんと》*の興福寺《こうふくじ》の僧《そう》たちが、それを憎《にく》み、「仏法《ぶっぽう》の敵《かたき》」と朝廷《ちょうてい》に直訴《じきそ》した。

法然上人《ほうねんしょうにん》の弟子に風紀を乱す不埒者《ふらちもの》がいると、事実無根の噂《うわさ》を並べ立てたため、遂《つい》に罪に処せられた人と数は、以下の通りである。

一。法然聖人《ほうねんしょうにん》とお弟子七人が流刑《るけい》、また、お弟子四人が死罪に処せられた。

後鳥羽院《ごとばいん》の御宇《ぎょう》、法然聖人《ほうねんしょうにん》、他力本願念仏宗《たりきほんがんねんぶつしゅう》を興行《こうぎょう》す。時《とき》に興福寺《こうふくじ》の僧侶《そうりょ》、敵奏《てきそう》の上《うえ》、御弟子中狼藉子細《おんでしちゅうろうぜきしさい》あるよし、無実《むじつ》の風聞《ふうぶん》によりて罪科《ざいか》に処《しょ》せらるる人数《にんずう》の事《こと》。

一《ひとつ》。法然聖人并《ほうねんしょうにんなら》びに御弟子《おんでし》七人流罪《しちにんるざい》、又御弟子《またおんでし》四人死罪《よにんしざい》に行《おこな》わるるなり。

法然聖人《ほうねんしょうにん》は、土佐国《とさのくに》の幡多《はた》という所に流刑《るけい》。罪人としての名は藤井元彦男《ふじいのもとひこおとこ》と言われた。七十六歳＊であった。

親鸞《しんらん》は、越後国《えちごのくに》に流され罪名は藤井善信《ふじいのよしざね》、三十五歳だった。

浄聞房《じょうもんぼう》は備後国《びんごのくに》へ、

澄西禅光房《ちょうさいぜんこうぼう》は伯耆国《ほうきのくに》へ、

好覚房《こうかくぼう》は伊豆国《いずのくに》へ、

行空法本房《ぎょうくうほうほんぼう》は佐渡国《さどのくに》へ流された。

聖人《しょうにん》は土佐国《とさのくに》番田《はた》という所《ところ》へ流罪《るざい》、罪名藤井元彦男《ざいみょうふじいのもとひこおとこ》と云々《うんぬん》、生年七十六歳《しょうねんしちじゅうろくさい》なり。

親鸞《しんらん》は越後国《えちごのくに》、罪名藤井《ざいみょうふじいの》善信《よしざね》と云々《うんぬん》、生年三十五歳《しょうねんさんじゅうごさい》なり。

浄聞房備後国《じょうもんぼうびんごのくに》、

澄西禅光房伯耆国《ちょうさいぜんこうぼうほうきのくに》、

好覚房伊豆国《こうかくぼういずのくに》、

行空法本房佐渡国《ぎょうくうほうほんぼうさどのくに》。

＊流罪　流刑。遠方に追放されること。死刑に次ぐ重罪。

＊興宣　大いに広める。

＊南都　奈良のこと。

＊七十六歳　親鸞聖人と法然上人は四十歳違いなので、実際は七十五歳。

同じく、幸西成覚房《こうさいじょうかくぼう》と善恵房《ぜんえぼう》の二人も流罪に決まっていたが、無動寺《むどうじ》の前代大僧正慈円《だいそうじょうじえん》が身《み》柄《がら》をあずかったので流刑《るけい》は免《まぬが》れた。

遠流《おんる》*になった人々は、以上八人であった。

死罪に処せられたのは以下の人々である。

一番は、西意善綽房《さいいぜんしゃくぼう》、

二番は、性願房《しょうがんぼう》、

三番は、住蓮房《じゅうれんぼう》、

四番は、安楽房《あんらくぼう》。

これらは「二位《にい》の法印《ほういん》」とよばれた尊長《そんちょう》の裁

幸西成覚房《こうさいじょうかくぼう》・善恵房二人《ぜんえぼうふたり》、同《おな》じく遠流《おんる》に定《さだ》まる。しかるに無動寺《むどうじ》の善題大僧正《ぜんだいだいそうじょう》、これを申《もう》しあずかると云々《うんぬん》。

遠流《おんる》の人々《ひとびと》已上八人《いじょうはちにん》なりと云々《うんぬん》。

死罪《しざい》に行《おこな》わるる人々《ひとびと》。

一番《いちばん》　西意善綽房《さいいぜんしゃくぼう》、

二番《にばん》　性願房《しょうがんぼう》、

三番《さんばん》　住蓮房《じゅうれんぼう》、

四番《しばん》　安楽房《あんらくぼう》。

二位法印尊長《にいほういんそんちょう》の沙汰《さた》なり。

きによる。

かような擯罰《ひんばつ》＊を受けた親鸞《しんらん》は、もう僧《そう》でもなく俗《ぞく》でもないから、破戒僧《はかいそう》の異名《いみょう》＊とする「禿《とく》」の字をもって姓《せい》とし、朝廷《ちょうてい》に奏上した。

その上申書は今も外記庁《げきちょう》＊に納まっているという。

かくて流罪以後、署名はいつも、愚禿親鸞《ぐとくしんらん》と書かれるようになったのである。

＊**遠流**　流刑の中でも重い罰。最も遠方に追放される。
＊**擯罰**　刑罰。
＊**異名**　別の呼び名のこと。
＊**外記庁**　当時の政府の事務局の一つ。

親鸞僧儀《しんらんそうぎ》を改《あらた》めて俗名《ぞくみょう》を賜《たま》う、よって僧《そう》に非《あら》ず俗《ぞく》に非《あら》ず、然《しか》る間《あいだ》「禿《とく》」の字《じ》を以《もっ》て姓《しょう》と為《な》して奏聞《そうもん》を経《へ》られおわんぬ。

彼《か》の御申《おんもう》し状《じょう》、今《いま》に外記《げき》庁《ちょう》に納《おさ》まると云々《うんぬん》。流罪《るざい》以後《ご》「愚禿親鸞《ぐとくしんらん》」と書《か》かしめ給《たま》うなり。

【奥書】

この『歎異抄《たんにしょう》』は、浄土真宗《じょうどしんしゅう》の大事な聖教《しょうぎょう》である。仏縁《ぶつえん》浅き人には、誰彼《だれかれ》となく拝読させてはならぬものである。

釈蓮如《しゃくれんにょ》

右《みぎ》この聖教《しょうぎょう》は、当流大事《とうりゅうだいじ》の聖教《しょうぎょう》たるなり。無宿善《むしゅくぜん》の機《き》に於《おい》ては左右《そう》無《な》く之《これ》を許《ゆる》すべからざるものなり。

釈蓮如《しゃくれんにょ》

第二部　『歎異抄』の解説

1

『歎異抄』は、いかに誤解されやすいか、その現状
――ある大学教授の場合

［原文］

「弥陀《みだ》の誓願不思議《せいがんふしぎ》に助《たす》けられまいらせて往生《おうじょう》をば遂《と》ぐるなり」と信《しん》じて「念仏申《ねんぶつもう》さん」と思《おも》いたつ心《こころ》のおこるとき、すなわち摂取不捨《せっしゅふしゃ》の利益《りやく》にあずけしめたまうなり

（『歎異抄《たんにしょう》』第一章）

［意訳］

〝すべての衆生《しゅじょう》を救う〟不思議な阿弥陀如来《あみだにょらい》*の誓願《せいがん》*の力によって救われ、

疑いなく弥陀《みだ》の浄土《じょうど》へ往《ゆ》く身となり、念仏称《ねんぶつとな》えようと思いたつ心のおこるとき、摂《おさ》め取《と》って捨てられぬ絶対の幸福に生かされるのである。

かつて親鸞研究《しんらんけんきゅう》の第一人者として、自他共に認める東大教授が、この第一章を誤読して、大きな問題を起こしたことがある。

氏は高校の教科書『詳説日本史』に、「親鸞《しんらん》は、心から阿弥陀仏《あみだぶつ》の救いを信じて念仏《ねんぶつ》をとなえれば、ただ一度の念仏《ねんぶつ》で極楽往生《ごくらくおうじょう》*が約束されると説いた」と記述したのが、その発端《ほったん》だった。

「あれでよいのか」の告発意見が、毎日新聞の投書欄《とうしょらん》などに続出し、ある投書氏などはダイレクトに、

「弥陀《みだ》の本願《ほんがん》の『信』がこもった直後、一度の念仏《ねんぶつ》も称《とな》えずに死んだ者は、往生《おうじょう》が決定しなかったのか」と牙城《がじょう》に迫《せま》った。

＊阿弥陀如来　「阿弥陀仏」とも「弥陀」ともいわれる。
＊誓願　阿弥陀仏のなされているお約束のこと。本願ともいわれる。
＊極楽往生　阿弥陀仏の極楽浄土に生まれ、仏のさとりを開くこと。浄土往生ともいう。

自他ともに認める親鸞研究《しんらんけんきゅう》の権威《けんい》、どんな回答を寄せるか、大いに固唾《かたず》を呑《の》ませた教授の返答は、なんともそっけない落胆《らくたん》させるものだった。

「返事になるかどうか分かりませんが、『歎異抄《たんにしょう》』をよくよくお読みください。それがすべてです」

そこで丹念《たんねん》に読んでみると、

「『念仏申《ねんぶつもう》さん』と思《おも》いたつ心《こころ》のおこるとき、すなわち摂取不捨《せっしゅふしゃ》の利益《りやく》*にあずけしめたまうなり」（『歎異抄《たんにしょう》』第一章）

と確かに書かれている。

「摂取不捨《せっしゅふしゃ》の利益《りやく》にあずけしめたまう」とは、弥陀《みだ》に救《すく》い摂《と》られ極楽往生《ごくらくおうじょう》が決定したことである。それが、

「『念仏申《ねんぶつもう》さん』と思《おも》いたつ心《こころ》のおこるとき」

と説かれている。これでは極楽往生《ごくらくおうじょう》が決定するのは〝念仏称《ねんぶつとな》える前〟であるこ

＊摂取不捨の利益　摂め取られ、捨てられない幸福。

とは、誰《だれ》の目にも明白である。

この間、新聞紙上にも活発な意見が多数掲載《けいさい》され、浄土真宗《じょうどしんしゅう》の学者たちも登場し、「某教授《ぼうきょうじゅ》の説は誤り」「訂正《ていせい》さるべき」と痛烈《つうれつ》な批判が公表された。

それでも沈黙《ちんもく》を守っていた教授は、まもなく自説を撤回《てっかい》し、「念仏《ねんぶつ》を唱《とな》えようかなと思い立つ心の起こるとき、直ちに、弥陀《みだ》のすくい取って捨てることない利益《りやく》にあずからせてくださるのだ」と訂正《ていせい》。

問題の教科書も、〝親鸞《しんらん》の教えは念仏《ねんぶつ》で救われるのではなく、信心一つの救いである〟と改訂《かいてい》された。

こんな親鸞聖人《しんらんしょうにん》の教義の、核心《かくしん》に関《かか》わる誤りが、なぜ起きたのか。

それは『歎異抄《たんにしょう》』の「『念仏申《ねんぶつもう》さん』と思《おも》いたつ心《こころ》のおこるとき」を、「一度の念仏《ねんぶつ》を称《とな》えたとき」と、勘違《かんちが》いしたところにあったのである。

「『念仏申《ねんぶつもう》さん』と思《おも》いたつ心《こころ》のおこるとき」と、「念仏称《ねんぶつとな》えたとき」とは、明らかに前後があるのにだ。

東大教授・親鸞研究《しんらんけんきゅう》の大家《たいか》でも、いかにも誤りやすいのが『歎異抄《たんにしょう》』ともいえよう。

だが第一章は、全章が収まる最も重要な章である。誤解されては困るのだ。その『歎異抄《たんにしょう》』全体に及《およ》ぼす影響《えいきょう》は、決して看過できるものではないからである。

2

「弥陀の救いは死後である」の誤解を正された、親鸞聖人のお言葉

［原文］

「弥陀《みだ》の誓願《せいがん》不思議《ふしぎ》に助《たす》けられまいらせて往生《おうじょう》をば遂《と》ぐるなり」と信《しん》じて「念仏申《ねんぶつもう》さん」と思《おも》いたつ心《こころ》のおこるとき、すなわち摂取不捨《せっしゅふしゃ》の利益《りやく》にあずけしめたまうなり

（『歎異抄《たんにしょう》』第一章）

［意訳］

〝すべての衆生《しゅじょう》を救う〟不思議な阿弥陀如来《あみだにょらい》の誓願《せいがん》の力によって救われ、

疑いなく弥陀《みだ》の浄土《じょうど》へ往《ゆ》く身となり、念仏称《ねんぶつとな》えようと思いたつ心のおこるとき、摂《おさ》め取《と》って捨てられぬ絶対の幸福に生かされるのである。

「仏教」と聞くと、地獄《じごく》や極楽《ごくらく》など死後物語ばかりとされている。「弥陀《みだ》の誓《せい》願《がん》」といっても、〝死後の極楽参り《ごくらくまい》〟か、ぐらいに考えている人がほとんどだ。

万人のその誤解を正し、弥陀《みだ》の救いは〝今〟であり、その救済は如何《いか》なるものかを明示し、人間の真の生きる道をひらかれたのが親鸞聖人《しんらんしょうにん》である。

『歎異抄《たんにしょう》』全十八章の収まる第一章は、その聖人《しょうにん》の教えの肝要《かんよう》＊を略説する極めて重要な内容を持つ。

まず、古今の人類が探求してやまぬ人生の目的を、「摂取不捨《せっしゅふしゃ》の利益《りやく》＊にあずかる」弥陀《みだ》の救いであると開示し、その達成は、「弥陀《みだ》の誓願不思議《せいがんふしぎ》に助けられ『念仏《ねんぶつ》申さん』と思いたつ心のおこるとき」であると説く。

＊肝要　唯一大事なこと。
＊摂取不捨の利益　摂め取られ、捨てられない幸福。

しかも救いは万人平等で、一切の差別がないと道破《どうは》＊する。

もっと詳細《しょうさい》に弥陀《みだ》の救いの、時と内容を、『歎異抄《たんにしょう》』一章に聞いてみよう。

まず弥陀《みだ》の救いの時は、

「念仏称《ねんぶつとな》えようと思いたつ心のおきたとき」

と、平生《へいぜい》＊の一念《いちねん》＊であることが明言されている。

ではその救いとは、いかなるものか。

「摂取不捨《せっしゅふしゃ》の利益《りやく》を得る」

と言葉は簡明だが、その内容は極めて深くて重い。

「摂取不捨《せっしゅふしゃ》の利益《りやく》」とは何か。最大の関心事なのだが、なぜか不明瞭《ふめいりょう》なままで甘《あま》んじられているようだ。

「弥陀《みだ》の無限の光明《こうみょう》（お力）の中に摂《おさ》め取《と》って、お捨てにならない救いの恵《めぐ》み」

とか、「すべての人を救《すく》い摂《と》り、捨てることのない阿弥陀如来《あみだにょらい》の御利益《ごりやく》」「如来《にょらい》

＊道破　きっぱり断言すること。
＊平生　死んでからでなく、生きているとき。
＊一念　何兆分の１秒よりも短い時間。

の無限なる慈悲《じひ》に包まれた、不動の精神的安心」など、どの『歎異抄《たんにしょう》』解説も苦心する。

「摂取不捨《せっしゅふしゃ》の利益《りやく》」とは、「凄《すご》い弥陀《みだ》の救い」のことだが、「凄《すご》い救い」とはいかなるものか。「救われる」前と後とは、どこが、どう変わるのか。

その違《ちが》いが鮮明《せんめい》にならねば、依然《いぜん》として『歎異抄《たんにしょう》』は深い霧《きり》に包まれてしまうだろう。「摂取不捨《せっしゅふしゃ》の利益《りやく》」とは、いかなることか。先を急ごう。

「摂取不捨《せっしゅふしゃ》」とは文字通り、〝摂《おさ》め取《と》って捨てぬ〟ことであり、「利益《りやく》」とは〝幸福〟のことである。

〝ガチッと一念《いちねん》で摂《おさ》め取《と》って永遠に捨てぬ不変の幸福〟を、「摂取不捨《せっしゅふしゃ》の利益《りやく》」といわれる。「絶対の幸福」と言ってもよかろう。

生きる目的は幸福だとパスカルも言う。自殺するのも楽を願ってのことであり、すべて人の営みは、幸せの外《ほか》にはありえない。

だが、私たちの追い求める喜びは、有為転変《ういてんぺん》*、やがては苦しみや悲しみに変質し、崩壊《ほうかい》、烏有《うゆう》に帰《き》することさえある。

結婚《けっこん》の喜びや、マイホームの満足は、どれだけ続くだろう。配偶者《はいぐうしゃ》がいつ病や事故で倒《たお》れたり、惚《ほ》れた腫《は》れたは当座のうち、破鏡《はきょう》の憂《う》き目《め》にあうかも知れぬ。

夫を亡くして苦しむ妻、妻を失って悲しむ夫、子供に裏切られ激怒《げきど》する親、最愛の人との離別《りべつ》や死別。世に愁嘆《しゅうたん》の声は満ちている。

生涯《しょうがい》かけて築いた家も、一夜のうちに灰燼《かいじん》に帰《き》し、昨日まで団欒《だんらん》の家庭も、交通事故や災害で、「まさか、こんなことになろうとは……」

天を仰《あお》いで茫然自失《ぼうぜんじしつ》。辛《つら》い涙《なみだ》で溢《あふ》れているのが現実だ。

瓢箪《ひょうたん》の川流れ*のように、今日あって明日なき幸福は、薄氷《はくひょう》を踏《ふ》む不安がつき

＊有為転変　総てのものは移り変わりやすいこと。
＊烏有に帰する　無くなってしまう。
＊瓢箪の川流れ　落ち着かないさま。

まとう。たとえしばらく続いても、死刑《しけい》前夜の晩餐会《ばんさんかい》で、総くずれの終末は、悲しいけれども迫《せま》っている。

まことに死《し》せんときは、予《かね》てたのみおきつる妻子《さいし》も財宝《ざいほう》も、わが身《み》には一《ひと》つも相添《あいそ》うことあるべからず。されば死出《しで》の山路《やまじ》のすえ、三途《さんず》の大河《だいが》をば、唯一人《ただひとり》こそ行《ゆ》きなんずれ
（御文章《ごぶんしょう》＊）

病にかかれば妻子が介抱《かいほう》してくれよう。財産さえあれば、衣食住の心配は要《い》らぬだろうと、日頃《ひごろ》、あて力にしている妻子や財宝も、いざ死ぬときには何ひとつ頼《たよ》りになるものはない。一切の装飾《そうしょく》は剝《は》ぎ取《と》られ、独《ひと》り行く死出の旅路《たびじ》は丸裸《まるはだか》、一体、どこへゆくのだろうか。

蓮如上人《れんにょしょうにん》、乱打の警鐘《けいしょう》である。

＊御文章　蓮如上人が書かれた手紙。

ふっと死の影《かげ》が頭をよぎるとき、一切の喜びが空《むな》しさを深め、〝なぜ生きる〟と問わずにおれなくなる。

〝死の巌頭《がんとう》にも変わらぬ「摂取不捨《せっしゅふしゃ》の利益《りやく》」こそが人生の目的〟

親鸞聖人《しんらんしょうにん》のお言葉が、真実性をおびて響《ひび》いてくるのではなかろうか。

風前の灯火《ともしび》のような幸せ求めて、今日も人はあくせく苦しんでいる。なんとか摂取不捨《せっしゅふしゃ》の利益《りやく》の厳存を伝えなければならない。

ひとたび弥陀《みだ》より摂取不捨《せっしゅふしゃ》の利益《りやく》を賜《たまわ》れば、何時《いつ》でもどこでも満足一杯《いっぱい》、喜び一杯《いっぱい》、人生本懐《ほんがい》の醍醐味《だいごみ》が賞味できるのだ。

親鸞聖人《しんらんしょうにん》の、その歓喜《かんぎ》の証言を聞いてみよう。

誠《まこと》なるかなや、摂取不捨《せっしゅふしゃ》の真言《しんごん》、超世希有《ちょうせけう》の正法《しょうぼう》（教行信証《きょうぎょうしんしょう》）＊

まことだった、まことだった！　摂取不捨《せっしゅふしゃ》の利益《りやく》、本当だった！　弥陀《みだ》の

＊教行信証　親鸞聖人の主著。

真言《しんごん》ウソではなかった！

永久《とわ》の闇《やみ》より救われて苦悩渦巻《くのううずま》く人生が、そのまま絶対の幸福に転じた聖人《しょうにん》の、驚《おどろ》きと慶喜《きょうき》の絶叫《ぜっきょう》なのだ。この摂取不捨《せっしゅふしゃ》の妙法《みょうほう》を詳説《しょうせつ》されたのが親鸞聖人《しんらんしょうにん》なのである。

3

「念仏さえ称えていたら助かる」の誤解を正された、親鸞聖人のお言葉

〔原文〕

弥陀《みだ》の本願《ほんがん》には老少善悪《ろうしょうぜんあく》の人《ひと》をえらばず、ただ信心《しんじん》を要《よう》とすと知《し》るべし

（『歎異抄《たんにしょう》』第一章）

〔意訳〕

弥陀《みだ》の救いには、老いも若きも善人も悪人も、一切の差別はない。ただ信心を肝要《かんよう》と知らねばならぬ。

「念仏《ねんぶつ》を称《とな》えたら誰《だれ》でも極楽《ごくらく》へ往《ゆ》ける、と教えたのが親鸞聖人《しんらんしょうにん》」という、広く世にひろまっている迷妄《めいもう》がある。

このお言葉は、その迷信を正すのみならず、『歎異抄《たんにしょう》』全体を通じて数ある誤解を正す、限りなく重い聖人《しょうにん》の発言といっても決して過言ではない。

「弥陀《みだ》の本願《ほんがん》には老少善悪《ろうしょうぜんあく》の人《ひと》をえらばず」

大海《たいかい》は芥《あくた》を選ばず*、弥陀《みだ》の救いには一切の差別はない。老人も若者も、世間でいう善人も悪人も区別なく、なんの隔《へだ》てもなく救う弥陀《みだ》の本願《ほんがん》*だが、「ただ信心《しんじん》を要《よう》とすと知《し》るべし」と、クギをさされている。

「信心《しんじん》を要《よう》とす」と言うと、他宗教の信心と同じように、「親鸞《しんらん》も何かを信じよ、というのか」と思うかも知れないが、聖人《しょうにん》の説く「信心」は、それらとは根本的に異なる、世間の蒙《もう》を啓《ひら》く*ものである。

一般《いっぱん》には、金が儲《もう》かる、病気が治る、息災延命《そくさいえんめい》、家内安全などのゴリヤクを、

＊**大海は芥を選ばず**　大海は、どんな芥（ゴミ）でも受け入れること。
＊**弥陀の本願**　阿弥陀仏のお約束。誓願ともいう。
＊**蒙を啓く**　無知や迷いから救うこと。

仏や神に祈念《きねん》することを「信心」と言われている。

また、神仏を深く信じて「疑わないこと」と考えている人がほとんどだ。

しかし、よく考えると、疑う余地のまったくないことなら信ずることは不要になる。「夫は男だと信じている」と言う妻はないだろう。疑いようがないからである。

ひどい火傷《やけど》をした人は、「火は熱いものだと信じている」とは言わない。熱かった体験をしたからだ。

疑いようのない明らかなことは「知っている」とは言うが、「信じている」とは言わない。「信じる」のは「疑いの心」があるときである。

難関の受験生は、試験は水もの、発表までハッキリしないから、「合格を信じている」という。「合格を知っている」とは言わない。〝ひょっとしたら失敗するかも〟の、疑心があるからであろう。

世間でいう信心も同様だ。ハッキリしない疑いの心を抑《おさ》えつけ、信《しん》じ込《こ》もうとする信心である。だが親鸞聖人《しんらんしょうにん》が肝要《かんよう》と言われる「信心」は、根本的に異質のものだ。どこが、どう違《ちが》うのか。喩《たと》えなどで詳述《しょうじゅつ》しよう。

乱気流に突《つ》っ込《こ》んで激しく機体が振動《しんどう》し、しばしば機長のアナウンスが流れる。「大丈夫《だいじょうぶ》です。ご安心下さい」。それでも起きる不安や疑心は、無事着陸したときに消滅《しょうめつ》する。

「助ける」という約束に対する疑いは、「助かった時」に破れる。「与《あた》える」という約束の疑いは、「受け取った時」に無くなるように、〝摂取不捨《せっしゅふしゃ》の利益《りやく》（絶対の幸福）を与《あた》える〟という弥陀《みだ》の約束（本願《ほんがん》）に対する疑いは、「摂取不捨《せっしゅふしゃ》の利益《りやく》」を私が受け取ったときに晴れるのである。

この「弥陀《みだ》の本願《ほんがん》（誓願《せいがん》）に露《つゆ》チリほどの疑いもなくなった心」を、「信心」とか、「信楽《しんぎょう》」と聖人《しょうにん》はおっしゃるのだ。

弥陀《みだ》の本願《ほんがん》に疑い晴れた心は、決して私たちがおこせる心ではない。この心が私たちにおきるのは、まったく弥陀《みだ》より賜《たまわ》るからである。
ゆえに、「他力《たりき》の信心」と言われる。「他力《たりき》」とは「弥陀《みだ》より頂く」ことをいう。

このように親鸞聖人《しんらんしょうにん》の信心は、我々が「疑うまい」と努める「信心」とはまったく違《ちが》い、〝弥陀《みだ》の本願《ほんがん》に疑い晴れた心〟を弥陀《みだ》より賜《たまわ》る、まさに超世希有《ちょうせけう》*の「信心」であり、「信楽《しんぎょう》」とも言われるゆえんである。

この「他力信心《たりきしんじん》」以外、聖人《しょうにん》の教えはないから、「信心為本《しんじんいほん》」*「唯信独達《ゆいしんどくだつ》の法《ほう》門《もん》」*といわれるのだ。

簡潔な文証《もんしょう》を二、三、あげてみよう。

涅槃《ねはん》の真因《しんいん》は唯信心《ただしんじん》を以《もっ》てす　（教行信証《きょうぎょうしんしょう》）*

浄土往生《じょうどおうじょう》の真《まこと》の因は、ただ信心一つである。

＊超世希有　大宇宙に二つとないもの。
＊信心為本　信心一つで救われる。
＊唯信独達の法門　信心一つで救われる教え。
＊教行信証　親鸞聖人の主著。

正定《しょうじょう》の因《いん》は唯信心《ただしんじん》なり　（正信偈《しょうしんげ》＊）

仏になれる身になる因は、信心一つだ。

蓮如上人《れんにょしょうにん》も『御文章《ごぶんしょう》＊』に、

「祖師聖人御相伝一流《そししょうにんごそうでんいちりゅう》＊の肝要《かんよう》は、ただこの信心一《しんじんひと》つに限《かぎ》れり」（二帖目三通）

と断定し、

「あわれあわれ、存命《ぞんめい》の中《うち》に皆々信心決定《みなみなしんじんけつじょう》＊あれかしと、朝夕思《ちょうせきおも》いはんべり」（四帖目十五通）

と遺言されている。

『歎異抄《たんにしょう》』を総括《そうかつ》する一章には、短い章にもかかわらず、「信」の文字が繰《く》り

＊正信偈　親鸞聖人が正しい信心を教えられた漢文の詩。
＊御文章　蓮如上人が書かれた手紙。５帖80通にまとめられている。
＊祖師聖人御相伝一流　親鸞聖人ご一生の教え。
＊信心決定　弥陀に救われたこと。信心獲得ともいう。

返《かえ》される。

「往生《おうじょう》をば遂《と》ぐるなりと信《しん》じて」

「しかれば本願《ほんがん》を信《しん》ぜんには」

「ただ信心《しんじん》を要《よう》とすと知《し》るべし」

聖人《しょうにん》の教えにとって、いかに「信心」肝要《かんよう》か、明らかだ。

肝心《かんじん》の「他力《たりき》の信心」「信楽《しんぎょう》」を知らずして、『歎異抄《たんにしょう》』を知らんとするは、

木に縁《よ》りて魚《うお》を求むるが*ごとし、と牢記《ろうき》*すべきであろう。

＊木に縁りて魚を求むる　木によじ登っても魚を獲ることができないように、到底かなう見込みがないこと。

＊牢記　しっかりと心に留めること。

第２部　『歎異抄』の解説　（３）

4

「善も要らない、悪も怖くない」あなた、こんなことが信じられますか?『歎異抄』の言葉

[原文]

しかれば本願《ほんがん》を信《しん》ぜんには、他《た》の善《ぜん》も要《よう》にあらず、念仏《ねんぶつ》にまさるべき善《ぜん》なきがゆえに、悪《あく》をもおそるべからず、弥陀《みだ》の本願《ほんがん》をさまたぐるほどの悪《あく》な

きがゆえに

（『歎異抄《たんにしょう》』第一章）

［意訳］

ゆえに、弥陀《みだ》の本願《ほんがん》に救《すく》い摂《と》られたならば、一切の善は無用となる。弥陀《みだ》より賜《たまわ》った念仏《ねんぶつ》以上の善はないからだ。

また、どんな悪を犯しても不安や恐《おそ》れは皆無《かいむ》となる。弥陀《みだ》の本願《ほんがん》で助からぬ悪はないからである。

特に、誤解されやすい一節である。

「弥陀《みだ》の本願《ほんがん》に救われるには、念仏《ねんぶつ》以上の善はないのだから、念仏《ねんぶつ》さえ称《とな》えていれば、他の善はしなくてもよい。本願《ほんがん》で助からぬ悪はないのだから、どんな悪も恐《おそ》れることはないのだ」と得手《えて》に聞き、平気で悪を犯す輩《やから》が、聖人《しょうにん》ご在世からあったとみえて、「放逸無慚《ほういつむざん》＊なるまじき」と、しばしば忠告されている。

＊放逸無慚　やりたい放題に悪をしながら、少しも恥じないこと。

一、二を挙げておこう。

われ往生《おうじょう》すべければとて、為《す》まじきことをもし、思《おも》うまじきことをもおもい、言《い》うまじきことをも言《い》いなどすることは、あるべくも候《そうら》わず（末灯鈔《まっとうしょう》）*

「これで自分は、極楽《ごくらく》へ往《ゆ》けるようになったのだから」と広言し、勝手気ままに、してはならないことをしたり、思うてはならぬことを思ったり、言ってはならぬことを言ったりするなど、決してあってはならないことだ。

煩悩具足《ぼんのうぐそく》の身《み》なればとて、心《こころ》にまかせて、身《み》にも為《す》まじきことをも許《ゆる》し、口《くち》にも言《い》うまじきことをも許《ゆる》し、意《こころ》にも思《おも》うまじきことをも許《ゆる》して、いかにも心《こころ》の儘《まま》にてあるべしと申《もう》しおうて候《そうろう》らんこそ、返《かえ》す返《がえ》す

＊末灯鈔　親鸞聖人の書簡やお言葉を集めたもの。

不便《ふびん》におぼえ候《そうら》え。酔《よい》もさめぬ先になお酒《さけ》を勧《すす》め、毒《どく》も消《き》えやらぬにいよいよ毒《どく》を勧《すす》めんがごとし。「薬《くすり》あり、毒《どく》を好《この》め」と候《そうろう》らんことは、あるべくも候《そうら》わずとこそ覚《おぼ》え候《そうろう》（末灯鈔《まっとうしょう》）

どうせ煩悩《ぼんのう》*の塊《かたまり》だからと開き直って、思うにまかせて、やってはならぬ振《ふ》る舞《ま》いをし、言ってはならぬことを言い、思ってはならぬことを思っても、これは仕方のないこと、慎《つつし》む必要はないのだ、と話し合っているようだが、はなはだ情けない限りである。

泥酔者《でいすいしゃ》に、なお酒を勧《すす》め、毒で苦しんでいる者に「薬がある、どんどん毒を飲め」と言う愚者《ぐしゃ》が、どこにあろうか。

真意の理解される困難さと、聖人《しょうにん》の悲憤《ひふん》の涙《なみだ》が伝わってくる。

＊煩悩　欲や怒り、ねたみそねみなど、私たちを煩わせ悩ませるもの。

では、この節の正意は何か。

「他《た》の善《ぜん》も要《よう》にあらず」（他の善は必要ない）とは、弥陀《みだ》の本願《ほんがん》を信じ救われた者は、弥陀《みだ》より賜《たまわ》った念仏《ねんぶつ》で往生決定《おうじょうけつじょう》*の大満足を獲《え》ているから、「往生《おうじょう》のために善をしようという心」は微塵《みじん》もない、ということである。

難病が特効薬で完治した人は、他に薬を求めようという心がないのと同じだ。他の薬に用事があるのは、全快していないからであろう。

既《すで》に救《すく》い摂《と》られた人に、救われるに必要な善などあろうはずがない。善が欲しいのは、救われていない証《あかし》である。

次の「悪《あく》をもおそるべからず」（悪を恐《おそ》れる必要はない）とは、

＊往生決定　弥陀の浄土へ往けることがハッキリしたこと。

いずれの行《ぎょう》も及《およ》び難《がた》き身《み》なれば、とても地獄《じごく》は一定《いちじょう》すみかぞかし
（『歎異抄《たんにしょう》』第二章）

いずれの善行《ぜんぎょう》もできぬ親鸞《しんらん》は、地獄《じごく》のほかに行き場がないのである。

地獄《じごく》より行き場のない無類の極悪人と知らされた聖人《しょうにん》に、もはや恐《おそ》れる悪などあるはずがなかろう。最高裁で死刑《しけい》が確定した罪人に、恐《おそ》れる判決がないのと同じだ。

弥陀《みだ》の本願《ほんがん》を信じ救われれば、疑いなく助からぬ地獄一定《じごくいちじょう》＊の自己と、疑いなく救われる極楽一定《ごくらくいちじょう》＊の自己が同時に知らされる、不可思議な、いわゆる二種深信《にしゅじんしん》＊の世界に生かされるから、「悪《あく》をもおそるべからず」の告白は当然である。

悪を恐《おそ》れ不安になるのは、地獄一定《じごくいちじょう》の悪人と知らされていないからだ。

この一節は、かかる善も欲しからず悪も恐《おそ》れぬ聖人《しょうにん》の、不可称《ふかしょう》・不可説《ふかせつ》・不《ふ》

＊地獄一定　地獄へ堕ちることが、ハッキリしたこと。
＊極楽一定　極楽へ往くことが、ハッキリしたこと。
＊二種深信　「助からぬ自己」と「救われる自己」の二つが、一点の疑いもなく同時に知らされ続く、不思議な信心のこと。

可思議《かしぎ》＊の、弥陀《みだ》より賜《たまわ》った超世希有《ちょうせけう》の信心（信楽《しんぎょう》）の端的《たんてき》な発言だろう。

『末灯鈔《まっとうしょう》』に教誡《きょうかい》＊される誤解の多くは、この不可称《ふかしょう》・不可説《ふかせつ》・不可思議《ふかしぎ》の大信《だいしん》海《かい》＊（他力《たりき》の信心）を知るならば、到底《とうてい》、あることとは思えない。深い悲嘆《ひたん》の聖《しょう》人《にん》が、そこに偲《しの》ばれる。

仏縁《ぶつえん》＊浅き者に『歎異抄《たんにしょう》』の披見《ひけん》を禁じられた、蓮如上人《れんにょしょうにん》の洞察《どうさつ》が光っている。

＊不可称・不可説・不可思議　言うことも、説くことも、想像もできないこと。
＊教誡　教えさとすこと。
＊大信海　阿弥陀仏から賜った信心の世界。
＊仏縁　阿弥陀仏とのかかわり。

5

「弥陀の救いは他力だから、真剣な聞法や求道は要らない」という誤解を正された、親鸞聖人のお言葉

［原文］おのおの十余《じゅうよ》ヶ国《かこく》の境《さかい》を越《こ》えて、身命《しんみょう》を顧《かえり》みずして訪《たず》ね来《きた》らしめたまう御《おん》志《こころざし》、ひとえに往生極楽《おうじょうごくらく》の道《みち》を問《と》い聞《き》かんがためなり
（『歎異抄《たんにしょう》』第二章）

［意訳］あなた方が十余カ国の山河《さんが》を越《こ》え、はるばる関東から身命を顧《かえり》みず、この

親鸞《しんらん》を訪ねられたお気持ちは、極楽《ごくらく》に生まれる道ただ一つ、問い糺《ただ》すがためであろう。

「善悪ぐらいは心得ている、仏教なんか暇《ひま》があれば聞けば良い」程度にみんな思っている。仏縁《ぶつえん》あっても、生死《しょうじ》の一大事《いちだいじ》＊とその解決を説くのが仏法《ぶっぽう》と、知る人は稀《まれ》である。

「仏教聞かずとも他力《たりき》だから何もいらない、死ねばみんな極楽《ごくらく》だ」「真剣《しんけん》に聞かにゃならんものではない」

簡単そうに言ってのける、無責任放言が飛び交う。

しかし『歎異抄《たんにしょう》』二章には、身命を仏法《ぶっぽう》にかける人達と聖人《しょうにん》の、鬼気《きき》迫《せま》る対峙《たいじ》の場面が載《の》っている。

背景の理解が必要なので、しばらく親鸞聖人《しんらんしょうにん》の略歴を述べよう。

＊**生死の一大事**　永久の苦患に沈むか、永遠の楽果を得るか、の一大事をいう。

八百年ほど前、聖人《しょうにん》は源平動乱《げんぺいどうらん》の平安末期、京都に生まる。四歳で父君に、八歳で母君を亡くされ、次はオレの番だと死の影《かげ》に驚《おどろ》き、九歳で比叡山《ひえいざん》*の天台《てんだい》僧《そう》となる。

そして二十年、壮絶《そうぜつ》な仏道修行《ぶつどうしゅぎょう》は煩悩《ぼんのう》*との格闘《かくとう》だった。奔走《ほんそう》し騒《さわ》ぎたてる煩《ぼん》悩《のう》の犬たちは、追えども追えども足下に迫《せま》る。

「無常《むじょう》*の風は時を選ばず。このままならば、釜《かま》の中の魚《うお》*の如《ごと》く、永久《とわ》の苦患《くげん》は免《まぬが》れぬ」

忍《しの》びよる無常《むじょう》の嵐《あらし》*に火急を感じ、比叡《ひえい》の山に絶望、ついに下山を決意。

「こんな親鸞《しんらん》、救われる道があるのだろうか。導く高僧《こうそう》いまさぬか」

夢遊病者の如《ごと》くさまよう都の辻《つじ》で、叡山《えいざん》の旧友、聖覚法印《せいかくほういん》とめぐりあい、その縁《えん》で今を時めく浄土宗《じょうどしゅう》の開祖、法然上人《ほうねんしょうにん》に邂逅《かいこう》*。雨の日も風の日も聞法《もんぽう》に専心された聖人《しょうにん》は、たちどころに阿弥陀如来《あみだにょらい》の本願《ほんがん》に救われる。聖人《しょうにん》二十九歳、

---

*比叡山　京都と滋賀の境にある山。天台宗の総本山がある。叡山ともいう。
*煩悩　欲や怒り、ねたみそねみなど、私たちを煩わせ悩ませるもの。
*無常　人の死。
*釜の中の魚　今から焚かれる釜の中の魚。死の迫っていること。
*無常の嵐　次から次と人が死ぬ激しさを嵐にたとえたもの。
*邂逅　めぐりあうこと。

法然上人《ほうねんしょうにん》六十九歳だった。

浄土宗の弾圧

庶民《しょみん》や武士に加え、聖道諸宗《しょうどうしょしゅう》（天台《てんだい》や真言《しんごん》、禅宗《ぜんしゅう》など）の学者や公家《くげ》・貴族まで、法然上人《ほうねんしょうにん》の信奉者《しんぽうしゃ》が急増。

急速な浄土宗《じょうどしゅう》の発展に恐《おそ》れをなし、聖道諸宗《しょうどうしょしゅう》は強い危機感を抱《いだ》く。彼らを支えた公家《くげ》・貴族までもが、法然《ほうねん》支持に回るのは到底《とうてい》、黙視《もくし》できることではなかった。やがて聖道諸宗《しょうどうしょしゅう》一丸となり、前代未聞の朝廷直訴《ちょうていじきそ》となる。

承元《じょうげん》元年（一二〇七）、ついに、浄土宗《じょうどしゅう》は解散、念仏布教《ねんぶつふきょう》は禁止、法然《ほうねん》・親鸞《しんらん》両聖人《りょうしょうにん》以下八人が流刑《るけい》。住蓮《じゅうれん》・安楽《あんらく》ら四人の弟子は死刑《しけい》に処せられる。

親鸞聖人《しんらんしょうにん》も死罪だったが、元関白九条兼実《くじょうかねざね》らの尽力《じんりょく》で越後《えちご》（新潟県上越市）

に流罪、三十五歳だった。法然上人《ほうねんしょうにん》は土佐《とさ》（高知県）へ遠流《おんる》となる。

聖道諸宗《しょうどうしょしゅう》と権力者の結託《けったく》で、日本仏教史上かつてない弾圧《だんあつ》だ。世に「承元《じょうげん》の法難《ほうなん》」といわれ、『歎異抄《たんにしょう》』末尾《まつび》にも記されている。

越後から関東、そして京都へ

厳寒深雪《げんかんみゆき》の越後路《えちごじ》の聖人《しょうにん》に、赦免《しゃめん》の知らせは五年後だった。その後、関東に赴《おもむ》かれた聖人《しょうにん》は、常陸《ひたち》（茨城県）の稲田《いなだ》に草庵《そうあん》を結び二十年、ひたすら弥陀《みだ》の本願《ほんがん》*宣布に徹《てっ》される。

還暦《かんれき》過ぎて故郷の京都へ帰り、著作の業《わざ》に専念。著書の多くは、七十六歳以降のものである。

帰京後の関東では、聖人《しょうにん》の教えを惑乱《わくらん》させる種々の事件が続発した。深刻な

＊弥陀の本願　阿弥陀仏のお約束。誓願ともいう。

信仰《しんこう》の動乱に騒然《そうぜん》とするなか、「ぜひ聖人《しょうにん》に、直《じか》に本当のところを聞きたい」と同朋《どうぼう》たちの代表が、遂《つい》に京行きを決意する。

数十日はかかったという関東と京都の間には、箱根《はこね》の山や大井川《おおいがわ》、山賊《さんぞく》や盗賊《とうぞく》もウロウロし、旅の難所はいくつもある。生きて帰れる保証は何もない、まさに「身命《しんみょう》を顧《かえり》みず」の旅路《たびじ》であったが、

〝命かけても聞かねばならぬが仏法《ぶっぽう》〟

彼らは、聖人《しょうにん》の常の御声《みこえ》に生きていた。

往生極楽の道

そんな同朋《どうぼう》らに対する聖人《しょうにん》の、直言《ちょくげん》から『歎異抄《たんにしょう》』二章は始まる。

「身命かけて聞きに来られた目的は、往生極楽《おうじょうごくらく》の道一つであろう」

関東で二十年、「往生極楽《おうじょうごくらく》の道《みち》」以外、聖人《しょうにん》の教えはなかったことが知らされる。

「往生極楽《おうじょうごくらく》の道《みち》」とは、何か。

「必ず極楽浄土《ごくらくじょうど》へ往《ゆ》ける身にしてみせる」と誓《ちか》う、阿弥陀仏《あみだぶつ》の約束（誓願《せいがん》）のことである。ゆえに聖人《しょうにん》は、弥陀《みだ》の誓願《せいがん》を「往生極楽《おうじょうごくらく》の道《みち》」と言われたのだろう。

その誓願《せいがん》に疑念が生《しょう》じ、「往生一定《おうじょういちじょう》*の大安心になりたい」ひとつに命をかける、彼らの心情は十分理解できるのである。

聞法の覚悟

たとい大千世界《だいせんせかい》に

*往生一定　弥陀の浄土へ往けることがハッキリしたこと。

みてらん火《ひ》をも過《す》ぎゆきて
仏《ぶつ》の御名《みな》を聞《き》く人《ひと》は
ながく不退《ふたい》にかなうなり
（浄土和讃《じょうどわさん》）＊

たとい、大宇宙が火の海になろうとも、そのなか仏法《ぶっぽう》聞《き》き抜《ぬ》く人は、必ず不滅《ふめつ》の幸せに輝《かがや》くのだ。

親鸞聖人《しんらんしょうにん》は言明される。

蓮如上人《れんにょしょうにん》の教示も同様だ。

「火《ひ》の中《なか》を　分《わ》けても法《のり》は　聞《き》くべきに　雨風雪《あめかぜゆき》は　もののかずかは」

と励《はげ》まし、こうも誘導《ゆうどう》なさっている。

＊浄土和讃　親鸞聖人が阿弥陀仏とその浄土を賛嘆された詩。

仏法《ぶっぽう》には世間《せけん》の隙《ひま》を闕《か》きて聞《き》くべし、世間《せけん》の隙《ひま》をあけて法《ほう》を聞《き》くべきように思《おも》うこと、浅《あさ》ましきことなり
（御一代記聞書《ごいちだいききがき》）*

世間の仕事（世間の隙《ひま》）を止《や》めて聞かねばならぬ大事が仏法《ぶっぽう》。仕事の合間に聞けば良いなどと思っているのは、本当の仏法《ぶっぽう》が分かっていないからである。哀《あわ》れなことだ。

生死《しょうじ》の大事を成《な》し遂《と》げて、見事出世《しゅっせ》の本懐《ほんがい》*果たすのが、真に我らの生きる目的ならば、生きる手段（仕事）を「世間《せけん》の隙《ひま》」という、寸鉄人を刺《さ》す瞠目《どうもく》*すべき誘引《ゆういん》だろう。

然《しか》るに今、かくの如《ごと》き親鸞聖人《しんらんしょうにん》や蓮如上人《れんにょしょうにん》の教法《きょうぼう》が、いずれの地いずこの里で聞けるであろうか。

命かけても聞かねばならぬ真《まこと》の仏法《ぶっぽう》を知らずば、いかに肝胆《かんたん》を砕《くだ》き*精読して

＊御一代記聞書　蓮如上人の言行録。
＊出世の本懐　この世に生まれてきた目的。
＊瞠目　目をみはること。
＊肝胆を砕き　ありったけの知恵をしぼり、苦心すること。

も、『歎異抄《たんにしょう》』一章も全章も真意が汲《く》めず、長蛇《ちょうだ》を逸《いっ》する＊ことになるだろう。

＊長蛇を逸する　好機を惜しいところで取り逃がすこと。

6
「ただ高いものはない」といわれる。では『歎異抄』の〝ただ〟とは？

［原文］

親鸞《しんらん》におきては、「ただ念仏《ねんぶつ》して弥陀《みだ》に助《たす》けられまいらすべし」と、よき人《ひと》の仰《おお》せを被《かぶ》りて信《しん》ずるほかに、別《べつ》の子細《しさい》なきなり

（『歎異抄《たんにしょう》』第二章）

［意訳］

親鸞《しんらん》はただ、「本願《ほんがん》を信じ念仏《ねんぶつ》して、弥陀《みだ》に救われなされ」と教える、法然上人《ほうねんしょうにん》の仰《おお》せに順《したが》い信ずるほかに、何もないのだ。

親鸞聖人《しんらんしょうにん》の、「ただ念仏《ねんぶつ》して弥陀《みだ》に助《たす》けられまいらすべし」の「ただ」の誤解が甚《はなは》だしい。

「ただ口で、南無阿弥陀仏《なむあみだぶつ》と称《とな》えて」と理解して、「聖人《しょうにん》は、ただ念仏《ねんぶつ》を称《とな》えて救われたのだ」と思っている人が非常に多い。一知半解《いっちはんかい》＊の誤りである。

聖人《しょうにん》の教えは一貫《いっかん》して、信心一つの救いだから、「唯信独達《ゆいしんどくだつ》の法門《ほうもん》」＊といわれることは、既《すで》に詳述《しょうじゅつ》した（一五〇ページ）。

『歎異抄《たんにしょう》』では「ただ信心《しんじん》を要《よう》とす」（第一章）と明示し、蓮如上人《れんにょしょうにん》の証文《しょうもん》も多数にのぼる。

ほんの数例、『御文章《ごぶんしょう》』＊から挙げてみよう。

往生浄土《おうじょうじょうど》の為《ため》にはただ他力《たりき》の信心《しんじん》一《ひと》つばかりなり　（二帖目五通）

浄土《じょうど》へ往《ゆ》くには、他力《たりき》の信心＊一つで、ほかは無用である。

＊一知半解　知ることの極めて浅薄なこと。
＊唯信独達の法門　信心一つで救われる教え。
＊御文章　蓮如上人が書かれた手紙。
＊他力の信心　阿弥陀仏から頂く信心。

信心《しんじん》一《ひと》つにて、極楽《ごくらく》に往生《おうじょう》すべし　（二帖目七通）

信心一つで、極楽《ごくらく》に往生《おうじょう》するのだ。

他力《たりき》の信心《しんじん》一《ひと》つを取《と》るによりて、極楽《ごくらく》にやすく往生《おうじょう》すべきことの、更《さら》に何《なに》の疑《うたが》いもなし　（二帖目十四通）

他力《たりき》の信心一つ獲得《ぎゃくとく》すれば、極楽《ごくらく》に往生《おうじょう》することに何の疑いもないのである。

最も人口《じんこう》に膾炙《かいしゃ》*されるのは、次の『御文章《ごぶんしょう》』だろう。

聖人一流《しょうにんいちりゅう》の御勧化《ごかんけ》の趣《おもむき》は、信心《しんじん》をもって本《ほん》とせられ候《そうろう》　（五帖目十通）

親鸞聖人《しんらんしょうにん》の教えは〝信心一つで助かる〟という教示である。

＊人口に膾炙　広く知られていること。

蓮如上人《れんにょしょうにん》は断言されている。

では「ただ念仏《ねんぶつ》して」とは、どんなことなのであろうか。

「ただ」とは、〝ただ〟の〝ただ〟もいらぬ〝ただ〟じゃったと、無条件の救いに驚《おどろ》き呆《あき》れた〝ただ〟である。

地獄《じごく》ゆきの明らかな悪性《あくしょう》を突《つ》きつけられても、千円落としたほどにも驚《おどろ》かず、明日の命はないぞと切《き》り込《こ》まれても、まだまだ大丈夫《だいじょうぶ》とケロッとしている。そんな者を、そのまま救う弥陀《みだ》だと聞かされても、百円貰《もら》ったほども喜ばない。

これではならぬと真剣《しんけん》に聞こうとすれば、キョロン、トロン、ボーとした心が腹底にドタ牛のように寝《ね》そべっていて、ウンともスンとも聞く気がない。

「屍《しかばね》の心」と聖人《しょうにん》がいわれたのはこのことか。

金輪際《こんりんざい》、仏法《ぶっぽう》聞くような奴《やつ》ではありませんと愚痴《ぐち》れば、そんなお前であることは、とうの昔から万々承知《ばんばんしょうち》だ、だから〝そのまま任せよ〟の弥陀《みだ》の仰《おお》せに、ただただ、びっくり仰天《ぎょうてん》。

どうせ地獄《じごく》より行き場のない私だ、どうにでもしてくださいと、弥陀《みだ》に一大事の後生《ごしょう》を、*ぶちまけた〝ただ〟なのだ。

どんな難聴《なんちょう》の者にも届く、不可称不可説不可思議《ふかしょうふかせつふかしぎ》*の声なき〝ただ〟であり、弥陀《みだ》と私が同時に生きた「他力信心《たりきしんじん》」をあらわす〝ただ〟である。

その後の「念仏《ねんぶつ》して」は、救われた喜びから噴《ふ》き上《あ》がる「感謝の念仏《ねんぶつ》」となる。

『正信偈《しょうしんげ》』*で一例を挙げれば、

＊一大事の後生　永久の苦患に沈むか、永遠の楽果を得るか、の一大事をいう。
＊不可称不可説不可思議　言うことも、説くことも、想像もできないこと。
＊正信偈　親鸞聖人が正しい信心を教えられた漢文の詩。

唯《ただ》能《よ》く常《つね》に如来《にょらい》の号《みな》を称《しょう》して、大悲弘誓《だいひぐぜい》の恩《おん》を報《ほう》ずべし
（唯能常称如来号《ゆいのうじょうしょうにょらいごう》　応報大悲弘誓恩《おうほうだいひぐぜいおん》）

他力《たりき》の信心を獲《え》た上は、常に念仏《ねんぶつ》して、弥陀《みだ》の大恩に報いるのである。

と詳説《しょうせつ》される念仏《ねんぶつ》である。

『御文章《ごぶんしょう》』では、

その上《うえ》の称名念仏《しょうみょうねんぶつ》は、如来《にょらい》わが往生《おうじょう》を定《さだ》めたまいし御恩報尽《ごおんほうじん》の念仏《ねんぶつ》と、心得《こころう》べきなり
（五帖目十通）

弥陀《みだ》に救われてからの念仏《ねんぶつ》は、浄土往生《じょうどおうじょう》が決定した大満足の心から、その御恩《ごおん》に報いる念仏《ねんぶつ》である。

「摂取不捨《せっしゅふしゃ》」というは、おさめとりて捨《す》てたまわずというこころなり。

このこころを信心《しんじん》を獲《え》たる人《ひと》とは申《もう》すなり。

さてこの上《うえ》には、寝《ね》ても覚《さ》めても立《た》ても居《い》ても、南無阿弥陀仏《なむあみだぶつ》と申《もう》す念仏《ねんぶつ》は、弥陀《みだ》にはや助《たす》けられまいらせつる、辱《かたじけ》なさの弥陀《みだ》の御恩《ごおん》を、南無阿弥陀仏《なむあみだぶつ》と称《とな》えて、報《ほう》じ申《もう》す念仏《ねんぶつ》なりと心得《こころう》べきなり（一帖目七通）

「摂取不捨《せっしゅふしゃ》」とは「ガチッとおさめとって捨てられぬ」ことで、永久《とわ》に変わらぬ幸福に、弥陀《みだ》に救《すく》い摂《と》られたことである。この身になった人を「信心を獲《え》た人」という。

絶対の幸福に救われれば、寝《ね》ても覚めても立ても居ても、南無阿弥陀仏《なむあみだぶつ》と称《とな》える念仏《ねんぶつ》は、救われた弥陀《みだ》の御恩《ごおん》に南無阿弥陀仏《なむあみだぶつ》と称《とな》えて報いる感謝の念仏《ねんぶつ》である。

と細説されている。

『歎異抄《たんにしょう》』では一章の、「摂取不捨《せっしゅふしゃ》の利益《りやく》にあずけしめたまう」（信心獲得《しんじんぎゃくとく》）た嬉《うれ》しさに、「『念仏申《ねんぶつもう》さん』と思《おも》いたつ心《こころ》」から湧《わ》き立《た》つ仏恩報謝《ぶっとんほうしゃ》の念仏《ねんぶつ》である。

「信心正因《しんじんしょういん》＊、称名報恩《しょうみょうほうおん》＊」の聖人《しょうにん》の教えに透徹《とうてつ》し、「ただ念仏《ねんぶつ》して」の真意を汲《く》まねば、一実円満《いちじつえんまん》の真教《しんきょう》＊、真宗《しんしゅう》＊にはならなくなるであろう。

＊信心正因　信心一つで助かるということ。
＊称名報恩　称える念仏は弥陀に救われたお礼の言葉ということ。
＊一実円満の真教　たった一つしかない真実であり、完全無欠の、まことの教え。
＊真宗　真実の宗教。

7

「念仏称えたら地獄か極楽か、まったく知らん」とおっしゃった聖人

――「知らん」は「知らん」でも、知りすぎた、知らん

［原文］

念仏《ねんぶつ》は、まことに浄土《じょうど》に生《う》まるるたねにてやはんべるらん、また地獄《じごく》に堕《お》つる業《ごう》にてやはんべるらん、総《そう》じてもって存知《ぞんじ》せざるなり（『歎異抄《たんにしょう》』第二章）

［意訳］

念仏《ねんぶつ》は浄土《じょうど》に生まれる因《たね》＊なのか、地獄《じごく》に堕《お》つる業《ごう》＊なのか、まったくもって親鸞《しんらん》、知るところではない。

「念仏《ねんぶつ》は浄土《じょうど》に生まれる因《たね》やら、地獄《じごく》に堕《お》つる業《ごう》やら、親鸞《しんらん》も、まるで分かっていなかったのだ」「命がけで来た者に、答えないのは無責任ではないか」と、外道《げどう》の者はムチを打つ。

それはだが、まったく逆である。

弥陀《みだ》の本願念仏《ほんがんねんぶつ》を「往生極楽の道《おうじょうごくらくのみち》」とまで明言し、浄土《じょうど》に往《ゆ》ける道は念仏《ねんぶつ》のほかに術《すべ》なしが、親鸞聖人《しんらんしょうにん》の教導であったことは明白だが、一、二、三、分かりやすい根拠《こんきょ》をあげておこう。

＊因　原因。
＊業　行為。

念仏成仏《ねんぶつじょうぶつ》これ真宗《しんしゅう》
万行諸善《まんぎょうしょぜん》これ仮門《けもん》
権実真仮《ごんじつしんけ》をわかずして
自然《じねん》の浄土《じょうど》をえぞしらぬ
（浄土和讃《じょうどわさん》）*

念仏《ねんぶつ》によって仏のさとり*をひらく、これが真実の仏法《ぶっぽう》である。それまで誘導《ゆうどう》する方便《ほうべん》*の教えが、他の仏教である。

南無阿弥陀仏《なむあみだぶつ》をとなうれば
この世《よ》の利益《りやく》きわもなし
流転輪廻《るてんりんね》の罪《つみ》きえて
定業中夭《じょうごうちゅうよう》のぞこりぬ
（浄土和讃《じょうどわさん》）

念仏《ねんぶつ》を称《とな》えれば、長らく苦しめてきた罪消えて、当然受くべき大難や若死《わかじに》

＊浄土和讃　親鸞聖人が阿弥陀仏とその浄土を賛嘆された詩。
＊仏のさとり　52あるさとりの中の、最高のさとりのこと。
＊方便　真実まで導くために絶対必要な手段。

からも免《まぬが》れ、この世も幸せ一杯《いっぱい》に暮らせるようになるのだ。

念仏《ねんぶつ》誹謗《ひぼう》の有情《うじょう》は
阿鼻《あび》地獄《じごく》に堕在《だざい》して
八万劫中大苦悩《はちまんごうちゅうだいくのう》
ひまなく受《う》くとぞ説《と》きたまう
（正像末和讃《しょうぞうまつわさん》）＊

この最尊の念仏《ねんぶつ》を謗《そし》る者の報いは怖《おそ》ろしい。かならず阿鼻地獄《あびじごく》（無間地獄《むけんじごく》）＊に堕《お》ちて八万劫《はちまんごう》＊という永い間、ひまなく大苦悩《だいくのう》を受けねばならぬと、経典《きょうてん》に説かれている。

『教行信証《きょうぎょうしんしょう》』には、弥勒菩薩《みろくぼさつ》＊は五十六億七千万年後でなければ仏のさとりを得ることはできないが、

＊**正像末和讃**　弥陀の本願のみが救われる道と教えられた親鸞聖人の詩。
＊**阿鼻地獄（無間地獄）**　絶えず苦しみがやってくる最悪の世界。
＊**八万劫**　気の遠くなるような長い期間。
＊**弥勒菩薩**　仏のさとりに最も近いさとりを開いている有名な菩薩（仏のさとりに向かって修行中の人）。

念仏《ねんぶつ》の衆生《しゅじょう》は、横超《おうちょう》の金剛心《こんごうしん》を窮《きわ》むるが故《ゆえ》に、臨終一念《りんじゅういちねん》の夕《ゆうべ》、大般涅槃《だいはつねはん》を超証《ちょうしょう》す（教行信証《きょうぎょうしんしょう》）

弥勒菩薩《みろくぼさつ》に対して念仏《ねんぶつ》の人は、この世の命が終わると同時に、仏のさとりをひらくのである。

と詳述《しょうじゅつ》されている。

関東で二十年、親鸞聖人《しんらんしょうにん》は、この弥陀《みだ》の本願念仏《ほんがんねんぶつ》以外の布教はなかったのだ。ところが聖人《しょうにん》の帰京後、関東には同朋《どうぼう》らの信仰《しんこう》を惑乱《わくらん》する、種々の事件が頻発《ひんぱつ》。その一つが日蓮《にちれん》の「念仏無間《ねんぶつむけん》」の大謗法《だいほうぼう》である。「念仏称《ねんぶつとな》える者は無間地獄《むけんじごく》へ堕《お》ちるぞ」と、関東一円を熱狂的《ねっきょうてき》に煽動《せんどう》した。

動揺《どうよう》した同朋《どうぼう》たちが、直《じか》の聖人《しょうにん》の言葉が聞きたいと、決死に来訪した心中を洞察《どうさつ》し、「念仏《ねんぶつ》が地獄《じごく》に堕《お》ちる業《ごう》だとなぁ、いままでそなたたちは、何を聞いてこられたのか、情けないことよ……」

やり場のない、その心情を、

「そんなことは、親鸞《しんらん》知らぬ」

言い放たれた聖人《しょうにん》の、やるせない心中が痛いほど伝わってくる。

あんなに長らく聖人《しょうにん》の教えを聞いてきた人たちに、いまさら「念仏《ねんぶつ》は極楽《ごくらく》の因《たね》か地獄《じごく》の業《ごう》か」と聞かれて、これより適切な表現が、ほかにあったであろうか。

余りにも分かりきったことを聞かれると、もどかしい言葉を止《や》めて世間でも、「知らんわい」と答えることがある。私たちにもあるだろう。言うに及《およ》ばぬことなのに、それをしつこく聞かれると、「そんなこと知らん」と突《つ》き放《はな》すことがあるではないか。

「念仏《ねんぶつ》は極楽《ごくらく》ゆきの因《たね》やら、地獄《じごく》に堕《お》つる因《たね》やら、親鸞《しんらん》さまさえ〝知らん〟とおっしゃる。我々に分かるはずがない。分からんまんまでよいのだ」

と嘯《うそぶ》いているのとは、知らんは知らんでも、〝知らん〟の意味が、まるっきり反対なのだ。


「念仏《ねんぶつ》のみぞまことにておわします」


有名な『歎異抄《たんにしょう》』の言葉もある。

「念仏《ねんぶつ》は極楽《ごくらく》の因《たね》か、地獄《じごく》の業《ごう》か」の詮索《せんさく》に、まったく用事のなくなった聖人《しょうにん》の、鮮明不動《せんめいふどう》の信念の最も簡明な表明だったと言えよう。

この聖人《しょうにん》の大自信に接し、喜色満面、勇んで帰る関東の同朋《どうぼう》たちが、彷彿《ほうふつ》とするではないか。

8

「弥陀の本願まことだから」と、言い切られた親鸞聖人

――「弥陀の本願、まことにおわしまさば」の真意

［原文］

弥陀《みだ》の本願《ほんがん》まことにおわしまさば、釈尊《しゃくそん》の説教《せっきょう》、虚言《きょごん》なるべからず。仏説《ぶっせつ》まことにおわしまさば、善導《ぜんどう》の御釈《おんしゃく》、虚言《きょごん》したまうべからず。善導《ぜんどう》の御釈《おんしゃく》まことならば、法然《ほうねん》の仰《おお》せ、そらごとならんや。法然《ほうねん》の仰《おお》せまことならば、親鸞《しんらん》が申《もう》す旨《むね》、またもってむなしかるべからず候《そうろう》か

（『歎異抄《たんにしょう》』第二章）

［意訳］

弥陀《みだ》の本願《ほんがん》がまことだから、唯《ただ》その本願《ほんがん》を説かれた、釈尊《しゃくそん》*の教えにウソがあるはずはない。

釈迦《しゃか》の説法がまことならば、そのまま説かれた、善導大師《ぜんどうだいし》*の御釈《おんしゃく》に偽《いつわ》りがあるはずがなかろう。

善導《ぜんどう》の御釈《おんしゃく》がまことならば、そのまま教えられた、法然上人《ほうねんしょうにん》*の仰《おお》せにウソ偽《いつわ》りがあろう筈《はず》がないではないか。

法然《ほうねん》の仰《おお》せがまことならば、そのまま伝える親鸞《しんらん》の言うことも、そらごとは言えぬのではなかろうか。


「弥陀《みだ》の本願《ほんがん》まことにおわしまさば」を、「本願《ほんがん》が、まことであるとするならば」と領解《りょうげ》する人が意外に多い。

だが親鸞聖人《しんらんしょうにん》には、弥陀《みだ》の本願《ほんがん》以外、この世にまことはなかったのだ。

＊釈尊　釈迦の尊称。
＊善導大師　中国の浄土仏教の大成者。
＊法然上人　親鸞聖人の師。

誠《まこと》なるかなや、摂取不捨《せっしゅふしゃ》の真言《しんごん》、超世希有《ちょうせけう》の正法《しょうぼう》
（教行信証《きょうぎょうしんしょう》）＊

まことだった、まことだった。弥陀《みだ》の本願《ほんがん》まことだった。

の大歓声《だいかんせい》や、

煩悩具足《ぼんのうぐそく》の凡夫《ぼんぶ》・火宅無常《かたくむじょう》の世界《せかい》は、万《よろず》のこと皆《みな》もってそらごと・たわごと・真実《まこと》あることなきに、ただ念仏《ねんぶつ》のみぞまことにておわします
（歎異抄《たんにしょう》）

火宅《かたく》＊のような不安な世界に住む、煩悩《ぼんのう》＊にまみれた人間の総《すべ》ては、そらごと、たわごとであり、まことは一つもない。ただ弥陀《みだ》の本願念仏《ほんがんねんぶつ》のみがまことなのだ。

＊教行信証　親鸞聖人の主著。
＊火宅　火のついた家のこと。
＊煩悩　欲や怒り、ねたみそねみなど、私たちを煩わせ悩ませるもの。

『歎異抄《たんにしょう》』の「念仏《ねんぶつ》のみぞまこと」は、「弥陀《みだ》の本願念仏《ほんがんねんぶつ》のみぞまこと」の簡略である。聖人《しょうにん》の「本願《ほんがん》まことの信念」は明白であろう。

親鸞聖人《しんらんしょうにん》の著作はどこも、「弥陀《みだ》の本願《ほんがん》まこと」の讃嘆《さんだん》で満ちている。「弥陀《みだ》の本願《ほんがん》まこと」が、常に聖人《しょうにん》の原点であったのだ。その聖人《しょうにん》が、仮定で「本願《ほんがん》」を語られるはずがなかろう。

「弥陀《みだ》の本願《ほんがん》まことにおわしまさば」は、「弥陀《みだ》の本願《ほんがん》まことだから」の断定にほかならない。

弥陀《みだ》の本願《ほんがん》がまことだから、それひとつ説かれた釈尊《しゃくそん》、善導《ぜんどう》、法然《ほうねん》の仰《おお》せはまことであり、そのまま伝える親鸞《しんらん》にウソ偽《いつわ》りがあるはずがなかろう、の確言なのである。

だがここで、クビをひねる人もあるだろう。

なぜならば、関東の同朋《どうぼう》たちには、一番信用できるのが聖人《しょうにん》であり、どうもいま一つハッキリしないのが阿弥陀仏《あみだぶつ》の本願《ほんがん》なのである。

親鸞《しんらん》さまが、法然《ほうねん》、善導《ぜんどう》、釈尊《しゃくそん》の教えは〝まことだ〟と言われるから、彼らは「弥陀《みだ》の本願《ほんがん》」を信じているのだ。

その弥陀《みだ》の本願《ほんがん》に疑惑《ぎわく》が生《しょう》じ、疑い晴らそうと来た人たちに、何の証明も解説なしに、彼らの最も曖昧《あいまい》な「弥陀《みだ》の本願《ほんがん》まこと」を大前提に、話を進められているからである。

これでは話し方が逆ではないか、と思う人があっても決しておかしくなかろう。

だが一方、弥陀《みだ》の本願《ほんがん》に相応し*救《すく》い摂《と》られた親鸞聖人《しんらんしょうにん》には、何よりも疑いようのない明らかな〝まこと〟が、「阿弥陀仏《あみだぶつ》の本願《ほんがん》」のみなのである。

大海の水に宿った月の如《ごと》く、いかに怒濤逆巻《どとうさかま》く*とも、月は、流されも、壊《こわ》れも、消え去ることもない。

＊弥陀の本願に相応　阿弥陀仏がなされている約束通りになったこと。
＊怒濤逆巻く　大波が荒れ狂う。

たとえ釈尊《しゃくそん》、善導《ぜんどう》、法然《ほうねん》にウソ偽《いつわ》りがあろうとも、弥陀《みだ》の本願《ほんがん》と直結された聖人《しょうにん》の「本願《ほんがん》まこと」の信心は、微動《びどう》だにもしないのだ。

「弥陀《みだ》の本願《ほんがん》まことだから」と、何のためらいもなく言えたのは、鮮明無比《せんめいむひ》な他力至極《たりきしごく》の信心だったからにほかならない。

9

なぜ善人よりも悪人なのか？
「善人なおもって往生を遂ぐ、いわんや悪人をや」の誤解を正された、親鸞聖人のお言葉

［原文］

善人《ぜんにん》なおもって往生《おうじょう》を遂《と》ぐ、いわんや悪人《あくにん》をや

（『歎異抄《たんにしょう》』第三章）

［意訳］

善人でさえ浄土《じょうど》へ生まれることができる、ましてや悪人は、なおさらだ。

『歎異抄《たんにしょう》』でも特に知られる、日本思想史上、もっとも有名な言葉といわれる。衝撃的《しょうげきてき》な内容だけに、大変な誤解も生んだ。

「善人でさえ浄土《じょうど》へ往《ゆ》ける。まして悪人は、なおさら助かる」と聞けば、「悪をするほど浄土《じょうど》へ往《ゆ》けるのか」と、誰《だれ》でも思うだろう。

実際、〝悪をするほど助かるのだ〟と好んで悪を行う「造悪無碍《ぞうあくむげ》」とよばれる輩《やから》が現れ、「悪人製造の教え」と非難された。

それはまた、今もある『歎異抄《たんにしょう》』の根深い謬見《びゅうけん》*でもある。

かかる誤解を正すには、親鸞聖人《しんらんしょうにん》の「善人」「悪人」の認識を、徹底《てってい》して明らかにするしか道はない。それなしに、三章は勿論《もちろん》、『歎異抄《たんにしょう》』をいくら熟読しても、論語読みの論語知らずにならざるを得ないであろう。

私たちは常に、常識や法律、倫理《りんり》・道徳を頭に据《す》えて、「善人」「悪人」を判

＊謬見　間違った考え。

断する。だが、聖人《しょうにん》の「悪人」は、犯罪者や世にいう悪人だけではない。極めて深く重い意味を持ち、人間観を一変させる。

いずれの行《ぎょう》も及《およ》び難《がた》き身《み》なれば、とても地獄《じごく》は一定《いちじょう》すみかぞかし
（歎異抄《たんにしょう》）

どんな善行《ぜんぎょう》もできぬ親鸞《しんらん》であるから、所詮《しょせん》、地獄《じごく》の外《ほか》に行き場がないのだ。

この告白は、ひとり聖人《しょうにん》のみならず、古今東西万人の、偽《いつわ》らざる実相であることを、『教行信証《きょうぎょうしんしょう》』*や『歎異抄《たんにしょう》』には多く強く繰《く》り返《かえ》される。

一切《いっさい》の群生海《ぐんじょうかい》、無始《むし》より已来《このかた》、乃至今日《ないしこんにち》・今時《こんじ》に至《いた》るまで、穢悪汚染《えあくおぜん》にして清浄《しょうじょう》の心《しん》無《な》く、虚仮諂偽《こけてんぎ》にして真実《しんじつ》の心《しん》無《な》し
（教行信証《きょうぎょうしんしょう》）

＊教行信証　親鸞聖人の主著。

すべての人間は、果てしなき昔から今日《こんにち》・今時《こんじ》にいたるまで、邪悪《じゃあく》に汚染《おせん》されて清浄《しょうじょう》の心はなく、そらごと、たわごとのみで、真実の心は、まったくない。

悠久《ゆうきゅう》*の先祖より無窮《むきゅう》*の子孫まで、すべての人は、邪悪《じゃあく》に満ちて、そらごとたわごとばかりで、まことの心は微塵《みじん》もない。しかも、それを他人《ひと》にも自己にも恥《は》じる心のない無慚無愧《むざんむぎ》*の鉄面皮《てつめんぴ》。永久に助かる縁《えん》なき者である。

『歎異抄《たんにしょう》』三章後半も、念を押《お》す。

煩悩具足《ぼんのうぐそく》の我《われ》らはいずれの行《ぎょう》にても生死《しょうじ》を離《はな》るることあるべからざるを憐《あわ》れみたまいて願《がん》をおこしたまう本意《ほんい》、悪人成仏《あくにんじょうぶつ》のためなれば……

（歎異抄《たんにしょう》）

＊悠久　果てしない昔。
＊無窮　未来永遠。
＊無慚無愧　「慚」は自分の良心に照らして恥じる心、「愧」は他人に対して恥じる心であるから、自分に恥じる心もなく、他人に恥じる心もない、ということ。

煩悩《ぼんのう》*にまみれ、どのような修行《しゅぎょう》を励《はげ》んでも、到底《とうてい》、迷い苦しみから離《はな》れ切《き》れない我らを不憫《ふびん》に思い、建てられた本願《ほんがん》だから、弥陀《みだ》の本意は悪人を救うて成仏《じょうぶつ》させるためだったのである。

人間はみな煩悩《ぼんのう》の塊《かたまり》、永遠に助かる縁《えん》なき「悪人」と阿弥陀仏《あみだぶつ》は、知《し》り抜《ぬ》かれたからこそ〝必ず救う〟と誓《ちか》われたのだ。これぞ、弥陀《みだ》の本願《ほんがん》の真骨頂*なのである。

聖人《しょうにん》の言われる「悪人」は、このごまかしの利《き》かない阿弥陀仏《あみだぶつ》に、悪人と見《み》抜《ぬ》かれた全人類のことであり、いわば「人間の代名詞」にほかならない。

では聖人《しょうにん》の「善人」とは、どんな人をいうのであろうか。

〝善を励《はげ》んで助かろう〟〝念仏称《ねんぶつとな》えて救われよう〟と努める人である。励《はげ》めば

*煩悩　欲や怒り、ねたみそねみなど、私たちを煩わせ悩ませるもの。
*真骨頂　真価。本来の姿。

善ができ、念仏《ねんぶつ》ぐらいは称《とな》え切《き》れると思っている人だから、「自力作善《じりきさぜん》」の善人と聖人《しょうにん》はおっしゃる。

〝諸善も念仏《ねんぶつ》も、いずれの行《ぎょう》もおよばぬ悪人〟と見極められて建てられた、弥《み》陀《だ》の本願《ほんがん》を疑っている人だから、「疑心《ぎしん》の善人《ぜんにん》」とも言われている。

そのような自力におぼれている人は、自己の一切の思慮《しりょ》分別を投げ捨てて、弥陀《みだ》にうちまかせる心がないから、弥陀《みだ》の本願《ほんがん》の対象にはならないのだ。

これを

「自力作善《じりきさぜん》の人《ひと》は、ひとえに他力《たりき》をたのむ心欠《こころか》けたる間《あいだ》、弥陀《みだ》の本願《ほんがん》にあらず」（『歎異抄《たんにしょう》』第三章）

と教誡《きょうかい》*されるのである。

だが弥陀《みだ》は、そのような邪見《じゃけん》におごり自己の悪にも気づかぬ、「自力作善《じりきさぜん》」の自惚《うぬぼ》れ心《ごころ》をも打《う》ち砕《くだ》き一切をうちまかさせ、浄土《じょうど》へ生まれさせると誓《ちか》われて

＊教誡　教えさとすこと。

いる。

かかる「自力作善《じりきさぜん》」の善人さえも、弥陀《みだ》は誘引《ゆういん》し救いたもうから、「善人《ぜんにん》なおもって往生《おうじょう》を遂《と》ぐ、いわんや悪人《あくにん》をや」と言われているのである。

「悪をするほど助かる」「悪は往生《おうじょう》の正因《しょういん》＊」など、聖人《しょうにん》の教えからは出ようがなかろう。

善人であれ悪人であれ、要するに「自力の心をひるがえして、他力《たりき》をたのみたてまつる」他力《たりき》の信心＊ひとつが強調されるのだ。

自力《じりき》の心《こころ》をひるがえして、他力《たりき》をたのみたてまつれば、真実報土《しんじつほうど》の往《おう》生《じょう》を遂《と》ぐるなり
（『歎異抄《たんにしょう》』第三章）

本願《ほんがん》を疑う自力の心をふり捨てて、他力《たりき》の信心を獲得《ぎゃくとく》すれば、真実の浄土《じょうど》へ往生《おうじょう》できるのである。

＊正因　唯一の要因。
＊他力の信心　阿弥陀仏から頂く信心。

他力《たりき》をたのみたてまつる悪人《あくにん》、もっとも往生《おうじょう》の正因《しょういん》なり（『歎異抄《たんにしょう》』第三章）

他力《たりき》の信心を獲《え》た悪人こそが、往生《おうじょう》の正因《しょういん》を獲《え》た人だ。

同じ表現を、聖人《しょうにん》自作の聖教《しょうぎょう》＊からも挙げておこう。

本願《ほんがん》他力《たりき》をたのみて自力《じりき》をはなれたる、これを「唯信《ゆいしん》」という（唯信鈔文意《ゆいしんしょうもんい》＊）

他力《たりき》の信心を獲《え》て、自力の心のすたったことを、唯《ただ》信心で救われるという。

親鸞聖人《しんらんしょうにん》は、「他力《たりき》をたのみて」と言われ、『歎異抄《たんにしょう》』では「他力《たりき》をたのみたてまつれば」という。『御文章《ごぶんしょう》』＊では「弥陀《みだ》をたのみまいらせて」とあるが、

＊聖教　仏教の書物。
＊唯信鈔文意　聖覚法印の著作『唯信鈔』を、親鸞聖人が解釈されたもの。
＊御文章　蓮如上人が書かれた手紙。

総《すべ》てみな「信心一つで救われる」他力信心《たりきしんじん》のことにほかならない。

すでに『歎異抄《たんにしょう》』一章には、「弥陀《みだ》の救いには、善人も悪人も差別はない」と説き、「ただ信心《しんじん》を要《よう》とすと知《し》るべし」と明言されている。

これによっても、善人悪人、一応、分けてはあるが、弥陀《みだ》の救いの焦点《しょうてん》は、他力信心《たりきしんじん》一つに絞《しぼ》られていることが、明々白々である。

『歎異抄《たんにしょう》』では、特に指摘《してき》し喚起《かんき》しておかなければならない要点だろう。

10

「仏」知らずが「ほとけ」間違いを犯す元凶

［原文］

浄土《じょうど》の慈悲《じひ》というは、念仏《ねんぶつ》して急《いそ》ぎ仏《ほとけ》になりて、大慈大悲心《だいじだいひしん》をもって思《おも》うがごとく衆生《しゅじょう》を利益《りやく》するをいうべきなり

（『歎異抄《たんにしょう》』第四章）

［意訳］

浄土仏教《じょうどぶっきょう》で教える慈悲《じひ》とは、はやく弥陀《みだ》の本願《ほんがん》に救われ念仏《ねんぶつ》する身となり、浄土《じょうど》で仏のさとり*を開き、大慈悲心《だいじひしん》を持って思う存分人々を救うことをいうのである。

「浄土《じょうど》の慈悲《じひ》というは、念仏《ねんぶつ》して急ぎ仏になりて、思うがごとく衆生《しゅじょう》を利益《りやく》するをいう」

〝死に急がせている〟と、これを批判する人がいる。

「仏のさとりを開くのは、浄土《じょうど》に生まれてのことである」と常に教導される親鸞聖人《しんらんしょうにん》を、熟知しているからであろう。

「急《いそ》ぎ仏《ほとけ》になりて」の意味が「急ぎ仏のさとり*を開きて」だとすれば、死に急がなくては「浄土《じょうど》の慈悲《じひ》」はかなわぬことになる。もっともな非難といえよう。

だが「急《いそ》ぎ仏《ほとけ》になりて」を「死に急いで」と理解するのは、明らかに誤りである。

なぜかといえば、誰《だれ》もが死ねば仏になれるのではない。現在、弥陀《みだ》の救いに値《あ》い*、〝仏になれる身〟になっている人のみが、浄土《じょうど》に生まれ、そこで仏のさ

*仏のさとり　52あるさとりの中の、最高のさとりのこと。
*値い　過去から未来にわたって、１度しかない、あい方。弥陀の救いにあったことのみにいう。

とりを開く、これが親鸞聖人畢生《しんらんしょうにんひっせい》の教誡《きょうかい》＊であるからだ。

ならば「急《いそ》ぎ仏《ほとけ》になりて」は、「急ぎ、仏になれる身になりて」であり、「はやく弥陀《みだ》の救いに値《あ》って」の意であることは明白だろう。

思う存分、大慈大悲心《だいじだいひしん》をもって衆生《しゅじょう》を救うのは、浄土《じょうど》で仏のさとりを開いてからだが、今生《こんじょう》で弥陀《みだ》に救われ〝仏になれる身〟になれば、

如来大悲《にょらいだいひ》の恩徳《おんどく》は
身《み》を粉《こ》にしても報《ほう》ずべし
師主知識《ししゅちしき》の恩徳《おんどく》も
骨《ほね》を砕《くだ》きても謝《しゃ》すべし
（恩徳讃《おんどくさん》）＊

阿弥陀如来《あみだにょらい》の大恩と、その本願《ほんがん》を伝《つた》え給《たも》うた恩師の厚恩は、身を粉《こ》に、骨砕《くだ》きても済みませぬ。微塵《みじん》の報謝もできぬ懈怠《けたい》＊なわが身に、ただ泣かされ

＊畢生の教誡　生涯かけての教え。
＊恩徳讃　親鸞聖人が救われて弥陀と先生方のご恩を賛嘆された詩。
＊懈怠　善をしようと努力せず、怠けていること。

るばかりである。

止《や》むにやまれぬ謝恩の熱火に燃やされて、「浄土《じょうど》の慈悲《じひ》」の真似《まね》ごとでもせずにおれなくなってくるのではなかろうか。

事実、二十九歳、仏になれる身（信心獲得《しんじんぎゃくとく》）になられてからの聖人《しょうにん》は、「唯仏恩《ただぶっとん》＊の深《ふか》きことを念《ねん》じて、人倫《じんりん》の嘲《あざけ》りを恥《は》じず」（教行信証《きょうぎょうしんしょう》）＊と感泣せられ、目を見張る仏恩報謝《ぶっとんほうしゃ》の生《い》き様《ざま》には、〝衆生済度《しゅじょうさいど》＊は死んでから〟など、消極的、退嬰的信仰《たいえいてきしんこう》の片鱗《へんりん》をも見られない。

聖人《しょうにん》九十歳で没《ぼっ》するまでの、六十一年間の生涯《しょうがい》を、思いめぐらすことにしてみたい。

三十一の肉食妻帯《にくじきさいたい》＊は、すべての人を救いきる、弥陀《みだ》の大きな願いの破天荒《はてんこう》の布教行動だった、とは言えないだろうか。花に嵐《あらし》はつきものだが、それが「狂《きょう》

＊仏恩　阿弥陀仏のご恩。
＊教行信証　親鸞聖人の主著。
＊衆生済度　苦しんでいる人々を助け、救うこと。
＊肉食妻帯　魚などの肉を食べ、結婚すること。

人《じん》」「悪魔《あくま》」「堕落坊主《だらくぼうず》」の集中攻撃《しゅうちゅうこうげき》の元となり、後《のち》の流刑《るけい》の要因ともなる。

平生《へいぜい》は柔和《にゅうわ》な聖人《しょうにん》だが、ひとたび仏法《ぶっぽう》が歪曲《わいきょく》される事態では、不惜身命《ふしゃくしんみょう》*断固とした激しさは、しばしば法友《ほうゆう》*とも大論争を惹起《じゃっき》した。中でも刮目《かつもく》すべき激論が三大諍論《さんだいじょうろん》*として伝えられ、一つは『歎異抄《たんにしょう》』後序にも記される。

三十五の越後《えちご》流罪は周知のことだが、その真因はあまり知られていない。

〝一切の諸仏《しょぶつ》*、菩薩《ぼさつ》*、諸神《しょじん》を捨てて、阿弥陀如来《あみだにょらい》一仏に向かえ〟という、「一向専念《いっこうせんねん》　無量寿仏《むりょうじゅぶつ》」の釈迦《しゃか》の出世本懐《しゅっせほんがい》の強調が、主因だったのである。

とくに諸神《しょじん》の不拝は、権力者の逆鱗《げきりん》に触《ふ》れ、死刑《しけい》が辛《から》くも流刑《るけい》となったが、八風《はっぷう》吹《ふ》けども山は動ぜず、迷妄《めいもう》の乱麻《らんま》を断つ聖人《しょうにん》の快刀は、「主上《しゅじょう》・臣下《しんか》、法《ほう》に背《そむ》き義《ぎ》に違《い》し、忿《いかり》を成《な》し、怨《うらみ》を結《むす》ぶ」（教行信証《きょうぎょうしんしょう》）（天皇《てんのう》から家臣にいたるまで、仏法《ぶっぽう》を謗《そし》り正義を蹂躙《じゅうりん》*し、怒《いか》りにまかせて恐《おそ》る

＊不惜身命　仏法の為には命を惜しまず捧げること。
＊法友　仏法を聞き求める友達。
＊三大諍論　親鸞聖人が３回なされた、仏法上の大きな争い。
＊諸仏　大宇宙にまします無数の仏。
＊菩薩　仏のさとりに向かって修行中の人。
＊蹂躙　踏みにじること。

べき大罪を犯した。なんたることか)
と斬《き》り捨《す》て、
「これなお師教《しきょう》の恩致《おんち》なり」(御伝鈔《ごでんしょう》)＊
(これ総《すべ》て恩師・法然《ほうねん》さまのおかげである)
と微笑《ほほえ》み、その悲愴感《ひそうかん》すら窺《うかが》わさせない。
配処《はいしょ》＊の五年、風雪に耐《た》え、関東布教の聖人《しょうにん》を、不倶戴天《ふぐたいてん》の敵《かたき》＊と憎《にく》む山伏弁円《やまぶしべんねん》が、剣《けん》をかざして白昼襲《おそ》う。
「聖人《しょうにん》左右《そう》なく出《い》であいたまいけり」(御伝鈔《ごでんしょう》)
〝私が弁円《べんねん》の立場なら、同じく殺しにゆくに違《ちが》いない。殺すも殺されるも、仏法《ぶっぽう》伝える因縁《いんねん》なのだ〟と無造作に出会われ、御同朋《おんどうぼう》＊と諭《さと》される。
相手を憐《あわ》れむ偉大《いだい》な信念に、さすがの彼も、仏弟子《ぶつでし》・明法房《みょうほうぼう》と更生《こうせい》し、ひたすら聖人《しょうにん》にかしずいている。

＊御伝鈔　親鸞聖人の曾孫の覚如上人が記された、聖人の一代記。
＊配処　流刑で追放された場所。
＊不倶戴天の敵　絶対に生かしておけないほど深く怨んでいる敵。
＊御同朋　友達、仲間。

世に知られる、石を枕《まくら》に雪を褥《しとね》*に、仏法嫌《ぶっぽうぎら》いな日野左衛門《ひのざえもん》の救済も、関東巡《じゅん》教中《きょうちゅう》での出来事《できごと》だった。

まこと「浄土《じょうど》の慈悲《じひ》」の実践《じっせん》というべきではなかろうか。

中でも長子善鸞《ぜんらん》の勘当《かんどう》は、万人救済の最も苦しい聖人《しょうにん》の試練だったといえよう。

建長《けんちょう》八年五月二十九日、八十四の老聖人《ろうしょうにん》が、五十のわが子に絶縁状《ぜつえんじょう》を送られねばならなくなったのだ。

「父から真夜中、秘密の法文《ほうもん》*を伝授された」と言いふらし、神に仕え祈祷《きとう》し、吉凶《きっきょう》を占《うらな》い、仏法《ぶっぽう》を蹂躙《じゅうりん》する仏敵《ぶってき》が、わが子と知った聖人《しょうにん》には、断じて見過ごすことはムリだった。

重ねての諫《いさ》めにも耳をかさぬ善鸞《ぜんらん》に、断腸の決断が下される。

＊褥　寝るとき下に敷くもの。
＊法文　教え。

あさましさ、申《もう》すかぎりなければ、いまは親《おや》ということあるべからず。子《こ》と思《おも》うこと、おもい切《き》りたり、悲《かな》しきことなり（義絶状《ぎぜつじょう》）

情けなさ、言うに及《およ》ばないけれど、今から私はお前の親ではない。子と思うことも断念する。悲しいかぎりである。

「家庭を破壊《はかい》して何の仏法《ぶっぽう》か」「わが子さえ導けない親鸞《しんらん》が、他人《ひと》を救うなど笑止千万《しょうしせんばん》」。重なる疑謗破滅《ぎほうはめつ》*に加えて、世人の嘲笑《ちょうしょう》、罵倒《ばとう》は必至であろう。

もし親子の恩愛に引かれた聖人《しょうにん》が、「あの子の済度《さいど》は浄土《じょうど》へ往《い》ってから」と善鸞《ぜんらん》の言動を黙認《もくにん》し、一人法悦《ほうえつ》*されていたらどうだろう。

幾億兆《いくおくちょう》の人々の、今日《こんにち》の救いはあり得なかったにちがいない。

返し切れない仏恩《ぶっとん》に感泣し、御臨末《ごりんまつ》*には、こうまで遺言されている。

＊疑謗破滅　疑ったり、そしったり、迫害すること。
＊法悦　阿弥陀仏に救われたことを喜ぶこと。
＊御臨末　ご臨終。

我《わ》が歳《とし》きわまりて、安養浄土《あんようじょうど》に還帰《げんき》すというとも、和歌《わか》の浦曲《うらわ》の片男《かたお》浪《なみ》の、寄《よ》せかけ寄《よ》せかけ帰《かえ》らんに同《おな》じ。一人居《ひとりい》て喜《よろこ》ばは二人《ふたり》と思《おも》うべし、二人居《ふたりい》て喜《よろこ》ばは三人《みたり》と思《おも》うべし、その一人《いちにん》は親鸞《しんらん》なり（御臨末《ごりんまつ》の書《しょ》）

まもなく親鸞《しんらん》、今生《こんじょう》の終わりがくるだろう。一度は弥陀《みだ》の浄土《じょうど》へ帰るけれども、寄せては返す波のように、すぐさま戻《もど》って来《く》るからな。一人いるときは二人、二人のときは三人と思って下され。嬉《うれ》しいときも悲しいときも、決してあなたは、一人ではないのだよ。いつも側《そば》に親鸞《しんらん》がいるからね。

無窮《むきゅう》の波動のように、衆生救済《しゅじょうきゅうさい》に生《い》き抜《ぬ》かれた聖人《しょうにん》だったが、なおも〝小慈小悲《しょうじしょうひ》＊もなき親鸞《しんらん》に、他人《ひと》を救おうなど、おこがましい。まことの衆生済《しゅじょうさい》度《ど》は仏のさとりを開いてからだ〟と、つくづく述懐《じゅっかい》される親鸞聖人《しんらんしょうにん》。

＊小慈小悲　小さな慈悲、情け。

聖人《しょうにん》の、〝急《いそ》ぎ仏《ほとけ》になりて〟の「浄土《じょうど》の慈悲《じひ》」は、
〝早く仏になれる身になれよ〟
の勧《すす》めであることを、ユメ忘れてはならないであろう。

11

葬式・年忌法要は死者のためにならないって？ それホント？

［原文］

親鸞《しんらん》は父母《ふも》の孝養《こうよう》のためとて念仏《ねんぶつ》、一返《いっぺん》にても申《もう》したることいまだ候《そうら》わず

（『歎異抄《たんにしょう》』第五章）

［意訳］

親鸞《しんらん》は、亡き父母の追善供養《ついぜんくよう》のために、念仏一遍《ねんぶついっぺん》、いまだかつて称《とな》えたことがない。

葬式《そうしき》や年忌法要《ねんきほうよう》などの儀式《ぎしき》が、死人を幸せにするという考えは、世の常識になっているようだ。

印度《インド》でも、釈迦《しゃか》の弟子が、「死人のまわりで有り難い経文《きょうもん》を唱《とな》えると、善い所へ生まれ変わるというのは本当でしょうか」と尋《たず》ねている。

黙《だま》って小石を拾い近くの池に投げられた釈迦《しゃか》は、沈《しず》んでいった石を指さし、「あの池のまわりを、石よ浮《う》かびあがれ、浮《う》かびあがれ、と唱《とな》えながら回れば、石が浮《う》いてくると思うか」と反問されている。

石は自身の重さで沈《しず》んでいったのである。そんなことで石が浮《う》かぶはずがなかろう。

人は自身の行為《こうい》(業力《ごうりき》)によって死後の報いが定まるのだから、他人がどんな経文《きょうもん》を読もうとも死人の果報が変わるわけがない、と説かれている。

読経《どきょう》で死者が救われるという考えは、本来、仏教になかったのである。釈迦《しゃか》八十年の生涯《しょうがい》、教えを説かれたのは生きた人間であり、常に苦悩《くのう》の心田《しんでん》を耕す教法《きょうぼう》だった。死者の為《ため》の葬式《そうしき》や仏事を執行《しっこう》されたことは一度もなかったといわれる。

むしろ、そのような世俗的《せぞくてき》、形式的な儀礼《ぎれい》を避《さ》けて、真の転迷開悟《てんめいかいご》*を教示されたのが仏教であった。

今日《こんにち》それが、仏教徒を自認している人でも、葬式《そうしき》や法事・読経《どきょう》などの儀式《ぎしき》が、死人を幸せにすることだと当然視している。その迷信は金剛《こんごう》のごとしと言えよう。

そんな渦中《かちゅう》、

「親鸞《しんらん》は父母《ふも》の孝養《こうよう》のためとて念仏《ねんぶつ》、一返《いっぺん》にても申《もう》したること未だ候《そうら》わず」

の告白は、まさに青天《せいてん》の霹靂《へきれき》であるにちがいない。

＊転迷開悟　迷いから覚めて、さとりを開くこと。

ここで「孝養」とは「追善供養《ついぜんくよう》」であり、死んだ人を幸福にすると信じられている行為《こうい》のことである。

四歳で父を失い、八歳にして母を亡くされた聖人《しょうにん》の、両親を憶《おも》う切なさは、いかばかりであったろうか。亡き父母は、最も忘れえぬ聖人《しょうにん》の幻影《げんえい》だったであろう。

そんな聖人《しょうにん》が、

「父母の追善供養《ついぜんくよう》のために念仏《ねんぶつ》を称《とな》えたことなど、一度もない」

と言われる。無論これは、念仏《ねんぶつ》だけのことではない。亡き人を幸せにしようとする読経《どきょう》や儀式《ぎしき》、すべての仏事を「念仏《ねんぶつ》」で総称《そうしょう》されてのことである。

言《い》い換《か》えれば、

「親鸞《しんらん》は亡き父母を喜ばせるために、念仏《ねんぶつ》を称《とな》えたり読経《どきょう》や法要、その他一切の仏事をしたことは、一度とてない」

の断言だから驚《おどろ》く。

「死者の一番のご馳走《ちそう》は読経《どきょう》だ」などと、平然と先祖供養を勧《すす》めている僧侶《そうりょ》や、当然のようにそれを容認している世人には、いかにも不可解な聖人《しょうにん》の発言であり、〝なんと非情な〟と冷たく感ずる人もあるだろう。

だが、誰《だれ》よりも父母を慕《した》われた聖人《しょうにん》が、衝撃的《しょうげきてき》な告白で根深い大衆の迷妄《めいもう》を打破し、真の追善供養《ついぜんくよう》のあり方を開示されているのが、この章なのである。

かつてしたことがないと聖人《しょうにん》が言われる、葬式《そうしき》や法事を本分のように心得ている僧侶《そうりょ》らを嘆《なげ》く、覚如上人《かくにょしょうにん》（聖人《しょうにん》の曾孫《そうそん》）の教誡《きょうかい》を挙げておこう。


「某《それがし》（親鸞《しんらん》）閉眼《へいがん》せば賀茂河《かもがわ》にいれて魚《うお》に与《あた》うべし」と云々《うんぬん》。これすなわち、この肉身《にくしん》を軽《かろ》んじて、仏法《ぶっぽう》の信心《しんじん》を本《ほん》とすべき由《よし》をあらわしましますゆえ故《ゆえ》なり。これをもって思《おも》うに、いよいよ喪葬《そうそう》を一大事《いちだいじ》とすべ

きにあらず。もっとも停止《ちょうじ》すべし　（改邪鈔《がいじゃしょう》）＊

「私が死ねば、屍《しかばね》を賀茂河《かもがわ》に捨てて、魚に食べさせよ」と、しばしば親鸞《しんらん》聖人《しょうにん》がおっしゃったのは、なぜか。それはセミの抜《ぬ》け殻《がら》のような肉体の後始末よりも、永遠の魂《たましい》の解決（信心決定《しんじんけつじょう》）こそが、最も急がなければならないことを教導されたものである。

されば葬式《そうしき》などを大事とすべきではあるまい。やめるべきであろう。

この聖人《しょうにん》の教えを破ったわが子・存覚《ぞんかく》を、覚如上人《かくにょしょうにん》は断固、勘当《かんどう》されている。

存覚《ぞんかく》は『報恩記《ほうおんき》』などに、「父母の死後は、追善供養《ついぜんくよう》を根本とする仏事を大切にして、親の恩に報いるつとめをはたすべし」「追善《ついぜん》のつとめには、念仏第《ねんぶつだい》一《いち》なり」とまで言い切っている。

先祖の追善供養《ついぜんくよう》を徹底排除《てっていはいじょ》された親鸞聖人《しんらんしょうにん》の教えを、明らかに破壊《はかい》するもの

＊改邪鈔　覚如上人が邪説を破り、真実の教えを明かされた書。

であり、破門《はもん》されて当然だろう。

仏教界はその意味で、いまや病膏肓《やまいこうこう》に入《い》ると＊言えよう。いまにして聖人《しょうにん》の御《ご》金言《きんげん》を噛《か》み締《し》めなければ、残るは死骸《しがい》の仏教のみとなるであろう。

では、葬儀《そうぎ》や法要・墓参は全く無意味なのかといえば、仏法《ぶっぽう》聞いた人には仏《ぶっ》恩報謝《とんほうしゃ》・法味愛楽《ほうみあいぎょう》＊、仏法《ぶっぽう》知らぬ人には仏縁《ぶつえん》ともなろう。

毎年、多くの交通事故死が報じられる。「昨年は何千人」と聞いても少しも驚《おどろ》かない。ただ漫然《まんぜん》と数字を見るだけで、「死」については、まったくマヒしていないだろうか。

忙《いそが》しい忙《いそが》しいと朝夕欲に振《ふ》り回《まわ》され、自己を凝視《ぎょうし》することがない。

そんなある日、葬儀《そうぎ》に参列したり、墓前にぬかずく時、人生を見つめる得難い機会になることがある。

「オレも一度は死なねばならぬ。酔生夢死《すいせいむし》＊ではなかろうか」

＊病膏肓に入る　治る見込みのない重病。
＊法味愛楽　弥陀に救われたことを喜ぶこと。
＊酔生夢死　無駄な一生を過ごすこと。

否応《いやおう》なしに冷厳な真実を見せつけられ、厳粛《げんしゅく》な思いにさせられる。願わくは、単なるしきたりに終わらせず、自己の後生《ごしょう》の一大事《いちだいじ》＊を感得し、解脱《げだつ》＊を求める機縁《きえん》としたいものである。

＊**後生の一大事**　永久の苦患に沈むか、永遠の楽果を得るか、の一大事をいう。
＊**解脱**　後生の一大事の解決。信心決定のこと。

12

「四海みな兄弟」と呼びかけられた親鸞聖人のお言葉

〔原文〕

親鸞《しんらん》は弟子《でし》一人《いちにん》ももたず候《そうろう》

（『歎異抄《たんにしょう》』第六章）

〔意訳〕

親鸞《しんらん》には、弟子など一人もいない。

「うちのように門徒＊の少ない、貧乏寺《びんぼうでら》では……」

門徒や檀家《だんか》を財産のように考え、離《はな》れていくと資産が減るように思って、ビクビクしている僧職《そうしょく》が多い。葬式《そうしき》や法要などに頼《たよ》る寺の財源は、門徒の数にかかっているからだろう。

門徒の少ない寺ほど、各家の「割り当て」が多くなるのもうなずける。「布《ふ》施《せ》は自由意志といいながら、なぜ、こんな高い負担金を拠出《きょしゅつ》しなければならぬのか」と、さっさと寺を離脱《りだつ》して現世利益《げんぜりやく》の宗教へと流れて行く。

大衆は現実の苦悩《くのう》にあえいでいる。煩悩《ぼんのう》の濁流《だくりゅう》に押《お》し流《なが》されて、何か救いの綱《つな》を模索《もさく》しているのだ。

それらの人びとに、どれだけ泥水《どろみず》飲むなと言うよりも、ふんだんに清水《しみず》を与《あた》えるのが先決なのに、少しも苦悩《くのう》の救済を説かないから、青年男女は寄りつかず、寺参りを冷笑する始末。

＊門徒　浄土真宗の檀家。

参詣者《さんけいしゃ》は減るばかりだから寺院経済はどこも火の車で、僧侶《そうりょ》を嫌《きら》ってサラリーマンになり、どちらが本職かわからない有様だ。

二足草鞋《にそくわらじ》でも苦しいから、門徒のご機嫌《きげん》とりや争奪戦《そうだつせん》が始まる。著名な布教使が地元に来ると、門徒を取られはしないかと戦々恐々《せんせんきょうきょう》、その布教使を中傷し、悪口雑言《あっこうぞうごん》を門徒衆に吹《ふ》き込《こ》んで追い出そうと画策する。

ある全国紙の「人生案内」に、寺の住職から「貴方《あなた》のお母さんは可哀《かわい》そう」と、暗に法要の催促《さいそく》されて困惑《こんわく》していると、亡母の法事を勤めなかった五十代の婦人の苦情が寄せられている。

陰湿《いんしつ》ないやがらせというべきか、檀家離《だんかばな》れの寺の悲鳴とも聞こえるが、僧職《そうしょく》のあるまじき言動が紙面をまかり通っている。

これらの不心得な僧侶《そうりょ》に猛省《もうせい》を促《うなが》す、

「親鸞《しんらん》は弟子《でし》一人《いちにん》ももたず候《そうろう》」

なのである。

もちろん聖人《しょうにん》に、多くの弟子があったのは歴史上の事実である。『親鸞聖人門侶交名牒《しんらんしょうにんもんりょきょうみょうちょう》』＊や他の史料を重ねると、聖人《しょうにん》から親しく教えを受けた門弟は、六、七十名あったことが確認される。

なぜ、「親鸞《しんらん》には弟子など一人もいない」と仰《おっしゃ》ったのか。それは聖人《しょうにん》自身の、深い自覚以外なかったのである。

聖人《しょうにん》はかの人々を、決して、わが弟子とは思われなかった。というよりも、毛頭、思えなかったからであろう。

表面上確かに彼らは、聖人《しょうにん》に導かれ、生死《しょうじ》の一大事《いちだいじ》＊に驚《おどろ》き、真剣《しんけん》に聞法《もんぽう》し救われたかのように見えるが、真実はそうでないことを、誰《だれ》よりも聖人《しょうにん》は、強く自覚されていたからである。

＊親鸞聖人門侶交名牒　親鸞聖人のお弟子の名前を列記した文書。
＊生死の一大事　永久の苦患に沈むか、永遠の楽果を得るか、の一大事をいう。

是非《ぜひ》しらず
邪正《じゃしょう》もわかぬこの身《み》なり
小慈小悲《しょうじしょうひ》もなけれども
名利《みょうり》に人師《にんし》をこのむなり
（慚愧和讃《ざんぎわさん》）＊

是非《ぜひ》も正邪《せいじゃ》も弁《わきま》えぬ、上に立つ値《あたい》などなき身でありながら、師と、かしずかれたい名誉欲《めいよよく》と利益欲しかない親鸞《しんらん》、どこまで狂《くる》いきっているのだろう。情けない限りである。

強烈《きょうれつ》に照らされた、名利《みょうり》＊を離《はな》れて動けない、深い懺悔《ざんげ》であろう。

小慈小悲《しょうじしょうひ》もなき身《み》にて
有情利益《うじょうりやく》はおもうまじ

＊**慚愧和讃**　親鸞聖人の懺悔を詩にされたもの。
＊**名利**　名誉と利益。

如来《にょらい》の願船《がんせん》いまさずは
苦海《くかい》をいかでか渡《わた》るべき
（愚禿悲歎述懐和讃《ぐとくひたんじゅっかいわさん》）*

微塵《みじん》の慈悲《じひ》も情けもない親鸞《しんらん》に、他人《ひと》を導き救うなど、とんでもない。弥《み》陀《だ》の大悲心《だいひしん》あればこそ、人のすべてが救われるのである。

内外相応《ないげそうおう》せぬ悪性《あくしょう》*と、捨てず裁かぬ本願《ほんがん》を知る、限りなき悲嘆《ひたん》の述懐《じゅっかい》だろう。

生死《しょうじ》の苦海《くかい》ほとりなし
ひさしく沈《しず》めるわれらをば
弥陀弘誓《みだぐぜい》の船《ふね》のみぞ
乗《の》せて必《かなら》ず渡《わた》しける
（高僧和讃《こうそうわさん》）*

果てしない苦しみの海に、永らく沈《しず》んでいる私たちを、必ず無量光明土《むりょうこうみょうど》*へ

＊愚禿悲歎述懐和讃　親鸞聖人の嘆き悲しまれたことを詩にされたもの。
＊内外相応せぬ悪性　心で思っていることと、言ったり、行ったりすることが一致していない悪い性格。
＊高僧和讃　親鸞聖人が７人の高僧を賛嘆された詩。
＊無量光明土　阿弥陀仏の極楽浄土のこと。

渡《わた》してくださるのは、阿弥陀如来《あみだにょらい》の大悲《だいひ》の願船《がんせん》＊のみである。

もし親鸞《しんらん》の裁量によって、かの人たちが聞法《もんぽう》し救われたのならば、私の弟子ともいえよう。だが、ひとえに弥陀《みだ》の大きな慈悲《じひ》の心によってのことだから、弟子などというのはとんでもないことである、とおっしゃるのだ。

流れを汲《く》みて源を知る聖人《しょうにん》は、生死《しょうじ》の一大事《いちだいじ》に驚《おどろ》き、聞法《もんぽう》に燃え真《まこと》の幸福に生かされたのは、すべて阿弥陀仏《あみだぶつ》の大きなはたらきかけであることを、明らかに知らされていたからにちがいない。

深い因縁《いんねん》で私たちは人界《にんがい》＊に生を受け、ひとしく弥陀《みだ》に照育され、無上道《むじょうどう》＊を歩んでいる。四海《しかい》＊みな兄弟であり、上下などはまったくない。懐《なつ》かしき御同朋《おんどうぼう》・御同行《おんどうぎょう》＊であると親近される。

あの階級制度の厳しい時代にあって、〝良き友よ、同胞《はらから》よ、共に無上道《むじょうどう》を進

＊**大悲の願船**　阿弥陀仏の本願を船にたとえられたもの。
＊**人界に**　人間として。
＊**無上道**　最高に素晴らしい教え。
＊**四海**　全人類のこと。
＊**御同朋・御同行**　兄弟、友達のこと。

もうではないか〟と全人類に呼びかける、燃える同朋愛《どうぼうあい》の発露《はつろ》が、

「親鸞《しんらん》は弟子《でし》一人《いちにん》ももたず候《そうろう》」

なのである。

13

弥陀に救われたらどうなるの？

万人の問いに
親鸞聖人の回答

［原文］　念仏者《ねんぶつしゃ》は無碍《むげ》の一道《いちどう》なり

（『歎異抄《たんにしょう》』第七章）

［意訳］　弥陀《みだ》に救われ念仏《ねんぶつ》する者は、一切が障りとならぬ、絶対の幸福者である。

七章冒頭《ぼうとう》のこのお言葉は、よく知られ、種々に論じられているところである。

特に「無碍《むげ》の一道《いちどう》」は、「妨《さまた》げるものは何一つ無い絶対の道」とか「何ものも障りにならぬ、ただ一つの通路」などと解説されるが、理解する人はあまり多くあるまい。

すぐ後に「罪悪《ざいあく》も業報《ごうほう》を感《かん》ずることあたわず」とあるから、「念仏者《ねんぶつしゃ》は、罪悪感から解放される」「念仏《ねんぶつ》すれば、悪の報いを受けずに済むのだろう」と思う人さえあるようだ。「無碍《むげ》の一道《いちどう》」の誤解である。

「無碍《むげ》の一道《いちどう》」を正しく理解するには、まず、仏教の究極の目的は、〝浄土往生《じょうどおうじょう》〟であることを確認しておかなければならないだろう。

ゆえに「碍《さわ》り*にならぬ（無碍《むげ》）」といわれる碍《さわ》りとは、〝浄土往生《じょうどおうじょう》の障り〟のことである。弥陀《みだ》に救《すく》い摂《と》られれば、たとえ如何《いか》なることで、どんな罪悪を犯しても、〝必ず浄土《じょうど》へ往《ゆ》ける金剛心《こんごうしん》*〟には、まったく影響《えいきょう》しないから、

＊碍り　妨げ。邪魔になること。「障り」と同じ。
＊金剛心　どんな人から、どのように攻撃されても微動だにもしない信心のこと。

罪悪《ざいあく》も業報《ごうほう》を感《かん》ずることあたわず　（『歎異抄《たんにしょう》』第七章）

いかなる罪悪も、「必ず浄土《じょうど》へ往《ゆ》ける身になった」弥陀《みだ》の救いの障りとはならない。

と言明し、「念仏者《ねんぶつしゃ》は無碍《むげ》の一道《いちどう》なり」と公言されるのである。

ではなぜ、悪を犯しても往生《おうじょう》の障りにならぬのか。

悪《あく》をもおそるべからず、弥陀《みだ》の本願《ほんがん》をさまたぐるほどの悪《あく》なきがゆえに　（『歎異抄《たんにしょう》』第一章）

ひとたび弥陀《みだ》の救いに値《あ》えば、どんな罪悪を犯しても、自分の罪の深さに怖《おそ》れおののき、浄土往生《じょうどおうじょう》を危ぶむ不安や恐《おそ》れは皆無《かいむ》となる。弥陀《みだ》の本願《ほんがん》に救われた往生一定《おうじょういちじょう》の決定心《けつじょうしん》*を、乱せるほどの悪はないからである。

何ものも崩《くず》せぬ、邪魔《じゃま》だてできぬ、不可称《ふかしょう》・不可説《ふかせつ》・不可思議《ふかしぎ》*の世界が信楽《しんぎょう》（信心）だから、「無碍《むげ》の一道《いちどう》」と聖人《しょうにん》は喝破《かっぱ》されたのだ。

同時に「無碍《むげ》の一道《いちどう》」の素晴らしさは、いかなる善行《ぜんぎょう》を、どんなに励《はげ》んだ結果も及《およ》ばぬ、十方法界最第一《じっぽうほっかいさいだいいち》*の果報であるから、

「諸善《しょぜん》も及《およ》ぶことなし」（第七章）

「念仏《ねんぶつ》にまさるべき善《ぜん》なし」（第一章）

と、『歎異抄《たんにしょう》』は宣言するのである。

では「念仏者《ねんぶつしゃ》」とは、どんな人をいうのであろうか。

＊往生一定の決定心　必ず浄土へ往けるとハッキリしている心。
＊不可称・不可説・不可思議　言うことも、説くことも、想像もできないこと。
＊十方法界最第一　大宇宙で最高。

「念仏者《ねんぶつしゃ》」と聞くと、口で〝南無阿弥陀仏《なむあみだぶつ》〟と称《とな》えている、すべての人と思うだろうが、そうではないのだ。

化学的には同じ涙《なみだ》でも、〝嬉《うれ》し涙《なみだ》〟あり、〝悲し涙《なみだ》〟〝くやし涙《なみだ》〟など、さまざまあるように、ひとしく〝南無阿弥陀仏《なむあみだぶつ》〟と称《とな》えていても、称《とな》え心《ごころ》はまちまちである。

夜中に通る墓場で、魔《ま》除《よ》け心《ごころ》で称《とな》える念仏《ねんぶつ》もあろうし、肉親に死なれ、悲しみ心で称《とな》える念仏《ねんぶつ》もあろう。台本にあるから、仕事心で称《とな》える俳優の念仏《ねんぶつ》もあるだろう。

同じく念仏称《ねんぶつとな》えていても、「諸善よりも勝《すぐ》れているのが念仏《ねんぶつ》」ぐらいに思って称《とな》えている念仏者《ねんぶつしゃ》（万行随一《まんぎょうずいいち》の念仏《ねんぶつ》）もあれば、「諸善とはケタ違《ちが》いに勝《すぐ》れた大善根《だいぜんごん》が念仏《ねんぶつ》だ」と、専ら称《とな》える念仏者《ねんぶつしゃ》（万行超過《まんぎょうちょうか》の念仏《ねんぶつ》）もいる。

称《とな》え心《ごころ》を、もっとも重視された聖人《しょうにん》は、これらの念仏者《ねんぶつしゃ》を総括《そうかつ》して自力の念《ねん》仏者《ぶつしゃ》と詳説《しょうせつ》される。

それとは違《ちが》って、弥陀《みだ》に救われた嬉《うれ》しさに、称《とな》えずにおれない念仏者《ねんぶつしゃ》（自然《じねん》法爾《ほうに》の念仏《ねんぶつ》）を、他力《たりき》＊の念仏者《ねんぶつしゃ》と聖人《しょうにん》は判別されている。

聖人《しょうにん》の念仏者《ねんぶつしゃ》とは、いつもその中の、他力《たりき》の念仏者《ねんぶつしゃ》であり、弥陀《みだ》に救われた信心獲得《しんじんぎゃくとく》の人のことである。

直後に「信心《しんじん》の行者《ぎょうじゃ》」と言《い》い換《か》えられていることでも、明白だろう。

他力《たりき》の信心を獲得《ぎゃくとく》すれば、なにものも往生《おうじょう》の障りとはならないから、

「念仏者《ねんぶつしゃ》は無碍《むげ》の一道《いちどう》なり」

と、聖人《しょうにん》は道破《どうは》＊されたのである。

＊他力　阿弥陀仏のお力。
＊道破　きっぱり断言すること。

14

念仏称えたら、何かいいことあるの？何か呪文のように思うけど

――絶対他力の念仏

〔原文〕念仏《ねんぶつ》は行者《ぎょうじゃ》のために非行《ひぎょう》・非善《ひぜん》なり

（『歎異抄《たんにしょう》』第八章）

［意訳］　称《とな》える念仏《ねんぶつ》は、弥陀《みだ》に救われた人には「行《ぎょう》」でもなければ「善」でもない。非行《ひぎょう》・非善《ひぜん》である。

『歎異抄《たんにしょう》』一章では「念仏《ねんぶつ》にまさる善はない」と言い、「念仏《ねんぶつ》よりほかに極楽《ごくらく》往生《おうじょう》の道はない」（二章）とまで断言されている。

読者は当然、最も勝《すぐ》れた「善」は念仏《ねんぶつ》だから、一回でも多く称《とな》える（行《ぎょう》ずる）のがよいと思うだろう。

ところが八章では、念仏《ねんぶつ》は「行者《ぎょうじゃ》のために」は善でもなければ、励《はげ》むべき行《ぎょう》でもないと、意外なことが言われている。

聖人《しょうにん》の、この真意は何か。それは「行者《ぎょうじゃ》のために」の、正しい理解の中にのみ存在する。

「行者《ぎょうじゃ》」とは、「弥陀《みだ》に救《すく》い摂《と》られた人」のことである。弥陀《みだ》に救われた人の称《とな》える念仏《ねんぶつ》を「他力《たりき》の念仏《ねんぶつ》」という。「他力《たりき》の念仏《ねんぶつ》」は、まったく弥陀《みだ》の熱い願いによって称《とな》えさせられる念仏《ねんぶつ》である。

それに対して、「行者《ぎょうじゃ》」でない（弥陀《みだ》に救われていない）人は、「念仏称《ねんぶつとな》えているから助けてくださるだろう」とか「こんなに念仏称《ねんぶつとな》えているから助けてくださるだろう」と、称《とな》える念仏《ねんぶつ》を助かるための「行《ぎょう》」や「善」だと思っている。これを「自力の念仏《ねんぶつ》」という。

「他力《たりき》の念仏《ねんぶつ》」は、これら自力の計《はか》らい一切が粉砕《ふんさい》され、称《とな》えさせる弥陀《みだ》の力強い誓《ちか》いの念仏《ねんぶつ》である。

ゆえに「他力《たりき》の念仏《ねんぶつ》」は、自分の思慮《しりょ》や分別で励《はげ》む行《ぎょう》でも善でもないから、非行《ひぎょう》・非善《ひぜん》、「行《ぎょう》にあらず」「善にあらず」と解説されるのだ。

この「念仏《ねんぶつ》」は、弥陀《みだ》より賜《たまわ》る「善」であり「行《ぎょう》」であるから「大行《だいぎょう》」ともいわれる。聖人《しょうにん》は次のように、その理由を詳説《しょうせつ》されている。

大行《だいぎょう》というは、すなわち無碍《むげ》光如来《こうにょらい》の名《みな》を称《しょう》するなり。この行《ぎょう》は、すなわち是《こ》れ諸《もろもろ》の善法《ぜんぽう》を摂《せっ》し、諸《もろもろ》の徳本《とくほん》を具《ぐ》せり。極速円満《ごくそくえんまん》す、真如一実《しんにょいちじつ》の功徳宝海《くどくほうかい》なり。故《かるがゆえ》に大行《だいぎょう》と名《な》づく　（教行信証《きょうぎょうしんしょう》）＊

「大行《だいぎょう》」とは、〝南無阿弥陀仏《なむあみだぶつ》〟と称《とな》えることである。南無阿弥陀仏《なむあみだぶつ》には、あらゆる善行《ぜんぎょう》、功徳《くどく》＊の本《もと》がおさまっている。しかも、信ずる一念《いちねん》＊で私と一体＊となり大善大功徳《だいぜんだいくどく》が身に満《み》ち溢《あふ》れる。このような唯一《ゆいいつ》絶対の善根功徳《ぜんごんくどく》の大きな宝の海なのだ。ゆえに「大行《だいぎょう》」というのである。

ここで、本章までの内容をまとめておこう。

弥陀《みだ》の救《すく》いは〝信心一つ〟であることを、

＊**教行信証**　親鸞聖人の主著。
＊**功徳**　幸福。また、幸福にする働きのこと。
＊**信ずる一念**　弥陀の本願に疑心が晴れた瞬間。
＊**一体**　炭に火がついたように、一つになって分けられない状態。

「ただ信心《しんじん》を要《よう》とす」（『歎異抄《たんにしょう》』第一章）

と明示し、その信心は、

「如来《にょらい》より賜《たまわ》りたる信心《しんじん》」（『歎異抄《たんにしょう》』第六章）

〝他力《たりき》の信心〟と開示される。

信心を賜《たまわ》ってから称《とな》える念仏《ねんぶつ》は、まったく弥陀《みだ》の強い思いからであることを、

「ひとえに弥陀《みだ》の御《おん》もよおしにあずかりて念仏申《ねんぶつもう》す」（『歎異抄《たんにしょう》』第六章）

と教導されている。

まさに、信心も念仏《ねんぶつ》も、弥陀《みだ》より賜《たまわ》る大信心であり、大行《だいぎょう》なのである。

南無阿弥陀仏《なむあみだぶつ》の大功徳《だいくどく》が耳から攬入《らんにゅう》＊し、全身を貫《つらぬ》き口に溢《あふ》れて、南無阿弥陀《なむあみだ》仏《ぶつ》の大宝海《だいほうかい》にかえるのだ。

嬉《うれ》しい思いも、寂《さび》しい心も、頼《たよ》りにもせず、障りにもならぬ。〝信《しん》に信功《しんこう》をみず＊、行《ぎょう》に行功《ぎょうこう》をみず＊〟、信行《しんぎょう》ともに、不可思議の願海《がんかい》に帰入《きにゅう》するのである。

＊攬入　入り込んで一体になる。
＊信功をみず　信じていることを、あて力にする心のないこと。
＊行功をみず　称えている念仏を、あて力にする心のないこと。

信ずる心も称《とな》える心も、みな南無阿弥陀仏《なむあみだぶつ》の独《ひと》り働《ばたら》きとなり、私をして動かすものであり、私は動かされているだけなのだ。

聖人《しょうにん》の教えを「絶対他力《ぜったいたりき》」と言われる所以《ゆえん》である。

15

親鸞さまは本当のことを言われる人ね。私と同じ心だもの

――『歎異抄』の落とし穴

〔原文〕

「念仏申《ねんぶつもう》し候《そうら》えども、踊躍歓喜《ゆやくかんぎ》の心《こころ》おろそかに候《そうろう》こと、また急《いそ》ぎ浄土《じょうど》へ参《まい》りたき心《こころ》の候《そうら》わぬは、いかにと候《そうろう》べきことにて候《そうろう》やらん」と申《もう》しいれて候《そうら》いしかば、「親鸞《しんらん》もこの不審《ふしん》ありつるに、唯円房《ゆいえんぼう》、同《おな》じ心《こころ》にてありけり」

（『歎異抄《たんにしょう》』第九章）

［意訳］
「私は念仏《ねんぶつ》を称《とな》えましても、天に踊《おど》り地に躍《おど》る歓喜《かんぎ》の心が起きません。また、浄土《じょうど》へ早く往《ゆ》きたい心もありません。これはどういうわけでありましょう」と、率直にお尋《たず》ねしたところ、
「親鸞《しんらん》も同じ不審《ふしん》を懐《いだ》いていたが、唯円房《ゆいえんぼう》、そなたも同じことを思っていたのか」と仰《おお》せられた。

「親鸞《しんらん》さまでさえ、喜ぶ心がないと仰《おっしゃ》っている。喜べなくて当然だ」と広言し、〝喜ぶのはおかしい〟という者さえいる始末。『歎異抄《たんにしょう》』の危《あや》ぶさ*のひとつである。

親鸞聖人《しんらんしょうにん》と唯円房《ゆいえんぼう》の対話を記すこの章は、共鳴しやすいだけに曲解が多い。「私たちが喜べないのは当たり前」と共感し、懺悔《ざんげ》も歓喜《かんぎ》もない自己の信仰《しんこう》を正当化するに都合のいい、言い回しのところだからだ。

＊危ぶさ　危険なところ。

「この唯円《ゆいえん》、念仏《ねんぶつ》を称《とな》えましても、天に踊《おど》り地に躍《おど》るような歓喜《かんぎ》の心が起きません。早く浄土《じょうど》へ往《ゆ》きたい心もありません。これはどういうわけでありましょう」

率直な披瀝《ひれき》に聖人《しょうにん》の返答も、これまた虚心坦懐《きょしんたんかい》*である。

「親鸞《しんらん》も同じ不審《ふしん》を懐《いだ》いていた。そなたも同じ心であったのか」

この聖人《しょうにん》の告白は、弥陀《みだ》に救《すく》い摂《と》られた人の懺悔《ざんげ》であって、懺悔《ざんげ》も歓喜《かんぎ》もなく、喜ばぬのを手柄《てがら》のように思っている、偽装信仰者《ぎそうしんこうしゃ》の不満とは全く違《ちが》うのだ。

「永劫《ようごう》*の迷いの絆《きずな》を断ち切られ、広大な世界に救われても喜ばぬ、どこどこまでも助かる縁《えん》なき不実者じゃのう。そうであろう唯円房《ゆいえんぼう》、こんな者が弥陀《みだ》の独《ひと》り子《ご》だとは、なんと頼《たの》もしい限りでないか」

＊虚心坦懐　なんのつかえもなく、さっぱりしていること。
＊永劫　気の遠くなる期間をいう。

肉体の難病が救われても嬉《うれ》しいのに、未来永劫《みらいようごう》、助かる縁《えん》なき者が、不可称《ふかしょう》・不可説《ふかせつ》・不可思議《ふかしぎ》*の功徳《くどく》*が満《み》ち溢《あふ》れ、かの弥勒菩薩《みろくぼさつ》*と同格になり、諸仏《しょぶつ》に等しい身になるのである。天に踊《おど》り地に躍《おど》るほど喜んで当然なのだ。

なのに喜ばぬのは、この世の欲望や執着《しゅうじゃく》に迷う煩悩《ぼんのう》のしわざ。煩悩《ぼんのう》に狂《くる》い、三年の恩を三日で忘れる猫《ねこ》よりも恩知らずの悪性《あくしょう》に、懺悔《ざんげ》のほかはないのである。

同様な告白は、聖人《しょうにん》の主著『教行信証《きょうぎょうしんしょう》』にも載《の》っている。

悲《かな》しきかな、愚禿鸞《ぐとくらん》、愛欲《あいよく》の広海《こうかい》に沈没《ちんもつ》し、名利《みょうり》の大山《たいせん》に迷惑《めいわく》して、定聚《じょうじゅ》の数《かず》に入《い》ることを喜《よろこ》ばず、真証《しんしょう》の証《しょう》に近《ちか》づくことを快《たの》しまず。恥《は》ずべし、傷《いた》むべし
（教行信証《きょうぎょうしんしょう》）

＊不可称・不可説・不可思議　言うことも、説くことも、想像もできないこと。
＊功徳　幸福。また、幸福にする働きのこと。
＊弥勒菩薩　仏のさとりに最も近いさとりを開いている有名な菩薩（仏のさとりに向かって修行中の人）。

情けない親鸞《しんらん》だなぁ。愛欲《あいよく》の広海《こうかい》*に沈《しず》み切《き》り、名誉欲《めいよよく》と利益欲に振《ふ》り回《まわ》されて、仏になれる身（定聚《じょうじゅ》）になったことを少しも喜ばず、日々、浄土《じょうど》（真証《しんしょう》の証《さとり》）へ近づいていながらちょっとも愉《たの》しまない。なんと恥《は》ずかしいことか、痛ましいことよ。

あまりに自虐主義《じぎゃくしゅぎ》との批判もあるが、これが聖人《しょうにん》の真情だったに違《ちが》いない。

懺悔《ざんげ》の裏には、歓喜《かんぎ》がある。

「しかるに仏《ぶつ》かねて知《し》ろしめして、煩悩具足《ぼんのうぐそく》の凡夫《ぼんぶ》と仰《おお》せられたることなれば、他力《たりき》の悲願《ひがん》は、かくのごときの我《われ》らがためなりけりと知《し》られて、いよいよ頼《たの》もしく覚《おぼ》ゆるなり」（『歎異抄《たんにしょう》』第九章）

（とうの昔に弥陀《みだ》は、そんな煩悩《ぼんのう》の巨魁《きょかい》*が私だと、よくよくご存じで本願《ほんがん》を建

＊愛欲の広海　愛したい、愛されたい心の多いのを、広い海にたとえられたもの。
＊巨魁　かしら、親玉。

てて下さったのだ。感泣せずにおれないではないか)
も、そのひとつ。
「後序」にも、聖人《しょうにん》の歓声《かんせい》が轟《とどろ》く。

弥陀《みだ》の五劫思惟《ごこうしゆい》の願《がん》をよくよく案《あん》ずれば、ひとえに親鸞一人《しんらんいちにん》が為《ため》なりけり、されば若干《そくばく》の業《ごう》をもちける身《み》にてありけるを、助《たす》けんと思《おぼ》し召《め》したちける本願《ほんがん》のかたじけなさよ
(歎異抄《たんにしょう》)

弥陀《みだ》が五劫《ごこう》＊という永い間、熟慮《じゅくりょ》に熟慮《じゅくりょ》を重ねてお誓《ちか》いなされた本願《ほんがん》を、よくよく思い知らされれば、まったく親鸞《しんらん》一人を助けんがためだったのだ。こんな量りしれぬ悪業《あくごう》＊を持った親鸞《しんらん》を、助けんと奮い立って下された本願《ほんがん》の、なんと有り難くかたじけないことなのか。

＊五劫　気の遠くなる期間をいう。
＊悪業　罪や悪。

このような歓喜《かんぎ》があればこそ、しぶとい呆《あき》れる根性を知らされて、「親鸞《しんらん》もこの不審《ふしん》ありつるに、唯円房《ゆいえんぼう》、同《おな》じ心《こころ》にてありけり」の懺悔《ざんげ》があるのである。

仏法《ぶっぽう》の入り口にも立たない者が、針の穴から天を覗《のぞ》いて、「喜べないのが当然」と開き直っているのとは、全然次元が異なるのだ。弥陀《みだ》の救いに値《あ》わない者には、懺悔《ざんげ》もなければ歓喜《かんぎ》もない。当然だろう。

また、急いで浄土《じょうど》へ往《ゆ》く気もなく、少し体調を崩《くず》すと「死ぬのではなかろうか」と、心細く思えてくるのも煩悩《ぼんのう》のしわざである。

果てしない過去*から流転してきた、苦悩《くのう》の絶えぬこの世ではあるけれど、なぜか故郷《ふるさと》の如《ごと》く懐《なつ》かしく、安楽な浄土《じょうど》を恋《こ》い慕《した》わず、急ぐ心のないのが私たちの実態だ。

暴風駛雨《ぼうふうしう》*のような煩悩《ぼんのう》を見るにつけ、いよいよ弥陀《みだ》の本願《ほんがん》は、私一人を助け

＊果てしない過去　この肉体が生まれる前の、気の遠くなる昔。
＊暴風駛雨　激しい風と豪雨のこと。

んがためであったと頼《たの》もしく、〝浄土往生間違《じょうどおうじょうまちが》いなし〟と、ますます明らかに知らされるのである。

「これにつけてこそ、いよいよ大悲大願《だいひだいがん》は頼《たの》もしく、往生《おうじょう》は決定《けつじょう》と存《ぞん》じ候《そうら》え」（『歎異抄《たんにしょう》』第九章後半）が、その告白だろう。

喜ぶべきことを喜ばぬ、麻痺《まひ》しきった自性《じしょう》＊が見えるほど、救われた不思議を喜ばずにおれぬのだ。それをこんな喩《たと》えで、聖人《しょうにん》は解説される。

罪障功徳《ざいしょうくどく》の体《たい》となる
氷《こおり》と水《みず》のごとくにて
氷多《こおりおお》きに水多《みずおお》し
障《さわ》り多《おお》きに徳多《とくおお》し
（高僧和讃《こうそうわさん》）＊

弥陀《みだ》に救《すく》い摂《と》られると、助けようのない煩悩《ぼんのう》（罪障《ざいしょう》）の氷が、幸せよろこ

＊自性　持って生まれた変わらぬ本性。
＊高僧和讃　親鸞聖人が７人の高僧を賛嘆された詩。

ぶ菩提《ぼだい》（功徳《くどく》）の水となる。大きい氷ほど、解けた水が多いように、極悪《ごくあく》最下《さいげ》の親鸞《しんらん》こそが、極善無上《ごくぜんむじょう》の幸せ者である。

九章で言えば、こうなろう。

「喜ぶべきことを喜ばぬ心（煩悩《ぼんのう》）」が「氷」であり、「これにつけてこそ、いよいよ大悲大願《だいひだいがん》は頼《たの》もしく、往生《おうじょう》は決定《けつじょう》と存《ぞん》じ候《そうら》えの喜び（菩提《ぼだい》）」が「水」に当たろう。

無尽《むじん》の煩悩《ぼんのう》が照らし出され、無限の懺悔《ざんげ》と歓喜《かんぎ》に転じる不思議さを、

「煩悩即菩提《ぼんのうそくぼだい》」（煩悩《ぼんのう》が、そのまま菩提《ぼだい》となる）

とか

「転悪成善《てんあくじょうぜん》」（悪が、そのまま善となる）

と簡明に説かれる。

喜ばぬ心が見えるほど喜ばずにおれない、心も言葉も絶えた大信海《だいしんかい》＊に、

「ただこれ、不可思議《ふかしぎ》・不可称《ふかしょう》・不可説《ふかせつ》の信楽《しんぎょう》（信心《しんじん》）なり」（教行信証《きょうぎょうしんしょう》）

ただ聖人《しょうにん》は、讃仰《さんごう》＊されるばかりである。

＊大信海　阿弥陀仏から賜った信心の世界。
＊讃仰　尊く仰いで、褒め称えること。

16

「南無阿弥陀仏」ってどんなこと？

「他力の念仏」の真の意味を明らかにされた、親鸞聖人のお言葉

［原文］念仏《ねんぶつ》には無義《むぎ》をもって義《ぎ》とす、不可称《ふかしょう》・不可説《ふかせつ》・不可思議《ふかしぎ》のゆえに、と仰《おお》せ候《そうら》いき

（『歎異抄《たんにしょう》』第十章）

意訳

念仏《ねんぶつ》には、計《はか》らい無きことを謂《いわ》れとする。自力の計《はか》らい尽《つ》きた、他力不思議《たりきふしぎ》の念仏《ねんぶつ》*は、言うことも説くことも、想像すらもできない、人智《じんち》を超《こ》えたものだから、と聖人《しょうにん》は仰《おお》せになりました。

『歎異抄《たんにしょう》』には「念仏《ねんぶつ》」の二文字が多いので、念仏《ねんぶつ》さえ称《とな》えていれば救われる、と思われがちだが、誤解である。

全章が収まる第一章で、弥陀《みだ》*の救いは信心一つ、「ただ信心《しんじん》を要《よう》とす」と明示されているからだ。

されば『歎異抄《たんにしょう》』の「念仏《ねんぶつ》」は、信心を獲《え》た上の念仏《ねんぶつ》と理解すべきであろう。聖人《しょうにん》は、弥陀《みだ》に救われて（信心を獲《え》て）からの念仏《ねんぶつ》を「他力《たりき》の念仏《ねんぶつ》」と言われていることは、しばしば述べてきた。十章の「無義《むぎ》をもって義《ぎ》とす」の念仏《ねんぶつ》も、無論、他力《たりき》の念仏《ねんぶつ》である。

＊他力不思議の念仏　阿弥陀仏のお力で称えさせられる念仏。
＊弥陀　阿弥陀仏のこと。

「無義《むぎ》をもって義《ぎ》とす」については、これまた多様に論ぜられる。「理解できないのが正しい理解」とか、「無目的を目的とする」「理論がないことが理論」「人間の偏《かたよ》った考えから解放させるのが如来《にょらい》＊の意図」など、各人各様の解釈《かいしゃく》がなされている。

「無義《むぎ》」の「義」とは、弥陀《みだ》の本願《ほんがん》に対する、疑いや計《はか》らい、想像や知識をいう。

「こんなに念仏《ねんぶつ》を有り難く称《とな》え、感謝の生活しているから悪いことはなかろう」

「これだけ念仏称《ねんぶつとな》えているから、悪い処《ところ》へは行かないだろう」

「阿弥陀《あみだ》さまを疑っていないから、死んでも大丈夫《だいじょうぶ》」

「この世はどうにもなれぬが、死んだら弥陀《みだ》は助けてくださるだろう」

「念仏称《ねんぶつとな》えても味がない、これでもいいのだろうか」

「こんなイヤな心が出ても、阿弥陀《あみだ》さまはお見抜《みぬ》きだからよかろう」

＊如来　仏のこと。

「念仏《ねんぶつ》さえ称《とな》えていれば、本当に、これで良いのだろうか」

挙げればキリがないが、弥陀《みだ》の本願《ほんがん》を疑っている心に変わりはない。これらは、すべて「義」であり「自力の心」という。この「自力の心」が廃《すた》らないかぎり、弥陀《みだ》の救いには絶対値《あ》えないし、他力《たりき》の世界へは出られない。

〃自力を捨てよ、捨てようとする心も自力だから捨てよ〃

親鸞聖人《しんらんしょうにん》の教えは徹底《てってい》して、自力を捨てて他力《たりき》に帰せよ(捨自帰他《しゃじきた》)と厳しいのは、そのためである。

「無義《むぎ》」とは、自力の心の露塵《つゆちり》ほども無くなった(浄尽《じょうじん》)ことである。故に、「念仏《ねんぶつ》には無義《むぎ》をもって義《ぎ》とす」とは、他力《たりき》の念仏《ねんぶつ》は、私たちの想像や思慮《しりょ》*の、自力の心の浄尽《じょうじん》した念仏《ねんぶつ》だから、「不可称《ふかしょう》・不可説《ふかせつ》・不可思議《ふかしぎ》*のゆえに」と、聖人《しょうにん》は言われたのであろう。

＊思慮　考えや分別、計らいのこと。
＊不可称・不可説・不可思議　言うことも、説くことも、想像もできないこと。

阿弥陀仏《あみだぶつ》が、「すべての人々を、一人残らず絶対の幸福に救う」という誓《ちか》いを実現するために作られたのが、「南無阿弥陀仏《なむあみだぶつ》」である。六字の「名号《みょうごう》」と言う。

いくら病気を治す原理が宇宙に存在しても、それを発見しそれに則《のっと》って、医師が薬を作らなければ患者《かんじゃ》を救うことはできない。

いわば「南無阿弥陀仏《なむあみだぶつ》」は、〝万人の苦悩《くのう》を抜《ぬ》き取《と》り永遠に幸福にする〟真理を体現した阿弥陀仏《あみだぶつ》が創造した妙薬《みょうやく》に喩《たと》えられよう。

はるかなる過去から汚《けが》れ切《き》って、微塵《みじん》のまことの心もなく、苦から離《はな》れきれない我々を憐《あわ》れみ、救わずはおかぬ熱い思いで奮い立った弥陀《みだ》が、気の遠くなるような長期間、誠心誠意、全身全霊《ぜんしんぜんれい》の修行《しゅぎょう》の末に、大宇宙の功徳《くどく》（善）を結《けっ》晶《しょう》されたのが、「南無阿弥陀仏《なむあみだぶつ》」の名号《みょうごう》なのである。

『教行信証《きょうぎょうしんしょう》』*には、その経緯《けいい》（名号《みょうごう》のいわれ）を次のように詳述《しょうじゅつ》されている。

一切《いっさい》の群生海《ぐんじょうかい》、無始《むし》より已来《このかた》、乃至今日《ないしこんにち》・今時《こんじ》に至《いた》るまで、穢悪汚染《えあくおぜん》にして清浄《しょうじょう》の心《しん》無《な》く、虚仮諂偽《こけてんぎ》にして真実《しんじつ》の心《しん》無《な》し。ここを以《もっ》て、如来《にょらい》、一切苦悩《いっさいくのう》の衆生海《しゅじょうかい》を悲憫《ひみん》して、不可思議兆載永劫《ふかしぎちょうさいようごう》に於《おい》て、菩薩《ぼさつ》の行《ぎょう》を行《ぎょう》じたまいし時《とき》、三業《さんごう》の所修《しょしゅ》、一念《いちねん》・一刹那《いっせつな》も清浄《しょうじょう》ならざる無《な》く、真心《しんしん》ならざる無《な》し。如来《にょらい》、清浄《しょうじょう》の真心《しんしん》を以《もっ》て、円融《えんゆう》・無碍《むげ》・不可思議《ふかしぎ》・不可称《ふかしょう》・不可説《ふかせつ》の至徳《しとく》を成就《じょうじゅ》したまえり
（教行信証《きょうぎょうしんしょう》）

すべての人間は、はるかな遠い昔から今日《こんにち》まで、邪悪《じゃあく》に汚染《おせん》されて清浄《しょうじょう》の心はなく、そらごと、たわごとのみで、まことの心は、まったくない。かかる苦しみ悩《なや》む一切の人びとを阿弥陀仏《あみだぶつ》は憐《あわ》れみ悲しみ、何とか助けようと兆載永劫《ちょうさいようごう》*のあいだ、心も口も体も常に浄《きよ》らかに保ち、その清浄《しょうじょう》なまこと

＊教行信証　親鸞聖人の主著。
＊兆載永劫　気の遠くなる期間をいう。

の心で、全身全霊《ぜんしんぜんれい》、ご修行《しゅぎょう》なされて、完全無欠の不可称《ふかしょう》・不可説《ふかせつ》・不可思《ふかし》議《ぎ》の無上《むじょう》の功徳《くどく》（南無阿弥陀仏《なむあみだぶつ》）を完成されたのである。

蓮如上人《れんにょしょうにん》はそれを平易に、こう詳解《しょうかい》される。

「南無阿弥陀仏《なむあみだぶつ》」と申《もう》す文字《もんじ》は、その数《かず》わずかに六字《ろくじ》なれば、さのみ功能《くのう》のあるべきとも覚《おぼ》えざるに、この六字《ろくじ》の名号《みょうごう》の中《うち》には、無上甚深《むじょうじんじん》の功徳利益《くどくりやく》の広大《こうだい》なること、更《さら》にその極《きわ》まりなきものなり（御文章《ごぶんしょう》＊）

「南無阿弥陀仏《なむあみだぶつ》」といえば、わずかに六字だから、それほど凄《すご》い力があるとは誰《だれ》も思えないだろう。だが、この六字の中には、私たちを最高無上の幸せにする絶大な働きがあるのだ。その広くて大きなことは、天の際限のないようなものである。

＊御文章　蓮如上人が書かれた手紙。

阿弥陀仏《あみだぶつ》から私たちが、この名号《みょうごう》（南無阿弥陀仏《なむあみだぶつ》）を一念《いちねん》で賜《たまわ》り、南無阿弥《なむあみ》陀仏《だぶつ》と私が一体になったのを、

「仏凡一体《ぶつぼんいったい》」（阿弥陀仏《あみだぶつ》の心と、凡夫《ぼんぶ》＊の心が一つになる）

とか、

「仏智全領《ぶっちぜんりょう》」（大宇宙の功徳《くどく》を丸貰《まるもら》いする）

と教導されている。

その実体験を聖人《しょうにん》は、次のように讃嘆《さんだん》される。

五濁悪世《ごじょくあくせ》の衆生《しゅじょう》の

選択本願信《せんじゃくほんがんしん》ずれば

不可称不可説不可思議《ふかしょうふかせつふかしぎ》の

＊凡夫　人間のこと。

功徳《くどく》は行者《ぎょうじゃ》（親鸞《しんらん》）の身《み》にみてり　（高僧和讃《こうそうわさん》＊）

どんな人も、弥陀《みだ》の本願《ほんがん》信ずれば（南無阿弥陀仏《なむあみだぶつ》を賜《たまわ》れば）、心も言葉も絶えた幸せが、その人（親鸞《しんらん》）の身に満《み》ち溢《あふ》れるのである。

不可称《ふかしょう》・不可説《ふかせつ》・不可思議《ふかしぎ》の功徳《くどく》の「南無阿弥陀仏《なむあみだぶつ》」と我々が一体になったのが、不可称《ふかしょう》・不可説《ふかせつ》・不可思議《ふかしぎ》の信心。

その我々の口から流出した念仏《ねんぶつ》を、また、不可称《ふかしょう》・不可説《ふかせつ》・不可思議《ふかしぎ》といわれて当然なのだ。

人智《じんち》をこえた仏智《ぶっち》＊の念仏《ねんぶつ》だから、

「無義《むぎ》をもって義《ぎ》とす」

とおっしゃったのであろう。

＊高僧和讃　親鸞聖人が７人の高僧を賛嘆された詩。
＊仏智　阿弥陀仏の智恵。

17

自力の実態を暴き、他力の信心を明らかにされた、親鸞聖人のお言葉

［原文］

善悪《ぜんあく》の二《ふた》つ、総《そう》じてもって存知《ぞんじ》せざるなり（『歎異抄《たんにしょう》』後序《こうじょ》）

［意訳］

親鸞《しんらん》は、何が善やら悪やら、二つとも分からない。

「親鸞《しんらん》は、何が善やら悪やら知らないし、まったく分からない」

耳を疑うような発言だ。それで教えが説けるのか、と非難する人すらある。

だが、よく考えると、私たちの弁《わきま》える「善悪」は、本当に不変妥当《ふへんだとう》のものなのだろうか。

日本では、臆病者《おくびょうもの》よりも泥棒《どろぼう》といわれると傷つくが、アメリカでは、臆病者《おくびょうもの》の方が侮辱《ぶじょく》と感ずる。

日本では、平手よりもゲンコツが厳しい制裁だが、欧米《おうべい》では平手打ちがより屈辱《くつじょく》だという。

戦前は、産《う》めよ殖《ふ》やせよが善であったが、現今は、多く産む人は大変だねぇと同情される。最近、少子化が社会問題になると、またも国や企業《きぎょう》も子育て支《し》援《えん》に大わらわの状態だ。

かつては、領土を拡大した者を英雄《えいゆう》と讃《たた》えられたが、現代では侵略者《しんりゃくしゃ》の汚名《おめい》を着せられる。

江戸時代《えどじだい》は、将軍や大名のために死ぬのを忠（チュウ）と言ったが、明治以降は天皇《てんのう》のために命を捨てることに限られ、最高善とされた。それが今や、梁上《りょうじょう》の君子《くんし》＊の鳴き声か、と言う者までいる始末。

敗戦までは、「主権在民」「労使平等」などは絶対禁句、漏《も》らせばたちまち〝危険分子〟〝赤だ〟と投獄《とうごく》された。

今は一応、天皇《てんのう》も労働者も平等だが、政権が転覆《てんぷく》すると憲法も変わり、収監《しゅうかん》されていた者も、一夜にして無罪放免《むざいほうめん》、昨日までの権力者は糾弾《きゅうだん》され、断罪される国もある。

ベテラン判事をそろえたはずの最高裁でも、十対五とか七対八と意見の一致《いっち》がみられない。同じ調書を読みながら心証や見識が各別だから、有罪、無罪、善だ、悪だと一定しない。

＊梁上の君子　ネズミのこと。

阪神大震災《はんしんだいしんさい》で倒壊家屋《とうかいかおく》の下から、九死に一生、救い出されたはずなのに、「あの時死んでおれば良かった」と、後日、自殺する老人が続出した。人命救助は最善と、決死でなされた救出作業だったが、情けが仇《あだ》となる例かも知れぬ。「正直にいいますが、貴方《あなた》はヒョットコみたいなお顔をしていらっしゃいますね」「貴方《あなた》は間違《まちが》いなく末期ガンです。葬式《そうしき》の用意でもなさって下さい。私はウソが大嫌《だいきら》いですから申します」

善人になろうとすると、悪人になるようだ。

「親鸞《しんらん》は何が善やら悪やら、まったく分からない」

蓮如上人《れんにょしょうにん》も、親鸞聖人《しんらんしょうにん》のことを聞かれて、

「我《われ》も知《し》らぬことなり、何事《なにごと》も何事《なにごと》も知《し》らぬことをも、開山《かいさん》（親鸞聖人《しんらんしょうにん》）のめされ候《そうろう》ように御沙汰候《ごさたそうろう》」（御一代記聞書《ごいちだいききがき》＊）

と言われている。

＊御一代記聞書　蓮如上人の言行録。

時や処《ところ》でしばしば変わり、人によって評価が異なる、絶えず揺《ゆ》れ動《うご》く判断基準で、「自分の考えは正しい」「善悪ぐらいは心得ている」「納得できぬことは信じない」と、不可称《ふかしょう》・不可説《ふかせつ》・不可思議《ふかしぎ》*の弥陀《みだ》の本願《ほんがん》を計《はか》ろうことの愚《おろ》かさを、親鸞聖人《しんらんしょうにん》は、こうたしなめられる。

補処《ふしょ》の弥勒菩薩《みろくぼさつ》をはじめとして、仏智《ぶっち》の不思議《ふしぎ》を計《はか》らうべき人《ひと》は候《そうら》わず
（末灯鈔《まっとうしょう》）*

あの弥勒菩薩《みろくぼさつ》*でさえ、弥陀《みだ》の本願力不思議《ほんがんりきふしぎ》は想像も思慮《しりょ》もできないのに、阿弥陀如来《あみだにょらい》の仏智《ぶっち》を計《はか》らえる人がいるはずないではないか。

「善悪《ぜんあく》の二《ふた》つ、総《そう》じてもって存知《ぞんじ》せざるなり」

＊不可称・不可説・不可思議　言うことも、説くことも、想像もできないこと。
＊末灯鈔　親鸞聖人の書簡やお言葉を集めたもの。
＊弥勒菩薩　仏のさとりに最も近いさとりを開いている有名な菩薩（仏のさとりに向かって修行中の人）。

聖人《しょうにん》の告白は、不可称《ふかしょう》・不可説《ふかせつ》・不可思議《ふかしぎ》の弥陀《みだ》の本願《ほんがん》を、善悪に囚《とら》われ計《はか》らう自力が浄尽《じょうじん》した、善も欲しからず悪をも怖《おそ》れぬ、大信海《だいしんかい》*の表明にほかならない。

＊大信海　阿弥陀仏から賜った信心の世界。

18

人類の常識を破り、生きる目的を断言された、親鸞聖人のお言葉

［原文］

煩悩具足《ぼんのうぐそく》の凡夫《ぼんぶ》・火宅無常《かたくむじょう》の世界《せかい》は、万《よろず》のこと皆《みな》もってそらごと・たわごと・真実《まこと》あることなきに、ただ念仏《ねんぶつ》のみぞまことにておわします

（『歎異抄《たんにしょう》』後序《こうじょ》）

［意訳］

火宅《かたく》*のような不安な世界に住む、煩悩《ぼんのう》*にまみれた人間のすべては、そらご

と、たわごとばかりで、真実《まこと》は一つもない。ただ弥陀《みだ》より賜《たまわ》った念仏《ねんぶつ》のみが、まことである。

「この世のことすべては、そらごとであり、たわごとであり、まことは一つもない」

親鸞聖人《しんらんしょうにん》は断定される。

人間のあらゆる営みを否定する、反社会的、反道徳的、常識破りの発言が繰《く》り返《かえ》される『歎異抄《たんにしょう》』。

だが、すべては真実信心のむき出しなのだ。

「信心」と聞くと、無宗教のオレには関係ないよ、とソッポをむく人があるかもしれぬ。だが〝イワシの頭も信心から〟というではないか、広くいえば、仏や神を信ずるだけが信心ではなかろう。

＊火宅　火のついた家のこと。
＊煩悩　欲や怒り、ねたみそねみなど、私たちを煩わせ悩ませるもの。

明日もあると「いのち」を信じ、まだまだ元気だと「健康」を信じる。夫は妻を、妻は夫を、親は子供を、子供は親を信じて生きている。金銭や財産の信心もあれば、名誉《めいよ》や地位の信心もある。マルキスト*は、共産社会こそ理想と信じている人たちだ。

何を信ずるかは自由だが、なにかを信じなければ生きられない。生きるとは信ずることだから、誰《だれ》も無信心ではあり得ないのだ。

信ずるものに裏切られると、たちまち苦悩《くのう》に襲《おそ》われる。健康に裏切られたのが病苦であり、恋人《こいびと》に裏切られたのが失恋《しつれん》の悲しみだろう。

夫や妻を亡くして虚脱《きょだつ》の人、子供に先立たれて悲嘆《ひたん》の人、財産や名誉《めいよ》が胡蝶《こちょう》の夢《ゆめ》*と化した人、みな信ずる明かりが消えた、暗い涙《なみだ》の愁嘆場《しゅうたんば》である。

皮肉にも、信《しん》じ込《こ》みが深いほど、裏切られた苦悩《くのう》や怒《いか》りは、ますます広まり深さを増す。

＊マルキスト　マルクス主義（共産主義）を信奉する人たち。
＊胡蝶の夢　この世のはかないことのたとえ。

生きるため日々悪戦苦闘《あくせんくとう》する我々だが、決して苦しむために生まれてきたのではない。生きているわけでもない。唯一《ゆいいつ》生きる目的は、生命の歓喜《かんぎ》を追い求め、獲得《かくとく》するためなのだ。誰《だれ》しもこれに異存はなかろう。

ならば信ずるものの真贋《しんがん》*に、尋常《じんじょう》ならざる真剣《しんけん》さが要請《ようせい》されるのも当然ではなかろうか。果たして我々は、裏切るものか否かの吟味《ぎんみ》に、どれほど深刻に考慮《こうりょ》し、神経をとぎすませているだろう。

地震《じしん》、台風、落雷《らくらい》、火災、殺人、傷害、窃盗《せっとう》、病気や事故、肉親との死別、事業の失敗、リストラなど……。いつ何が起きるか分からない泡沫《ほうまつ》の世*に生きている。

盛者必衰《じょうしゃひっすい》、会者定離《えしゃじょうり》、物盛《ものさか》んなれば則《すなわ》ち衰《おとろ》う、今は得意の絶頂でも必ず崩落《ほうらく》がやって来る。出会いの喜びがあれば、別れの悲しみが待っている。

ひとつの悩《なや》みを乗《の》り越《こ》えても、裏切りの尽《つ》きぬ不安な世界だから、火のつい

＊真贋　本物と偽物。
＊泡沫の世　水面にできた泡のようにはかない世。

た家に喩《たと》えて聖人《しょうにん》は、「火宅無常《かたくむじょう》の世界《せかい》」と告発される。

たとえ災害にも遭《あ》わず病にかからずとも、冥土《めいど》の道に王はないのだ。*
いざ死の巌頭《がんとう》に立てば、どうだろう。財産も名誉《めいよ》も一時の稲光《いなびか》り、かの太閤《たいこう》*の栄華《えいが》でさえもユメのまたユメ、天下人の威光《いこう》は微塵《みじん》もなく、不滅の光はどこにも見られぬ。

己の信ずるものは永遠だと、なおも幻想《げんそう》する人たちに、聖人《しょうにん》の大音《だいおん》が響流《こうる》*する。

「万《よろず》のこと皆《みな》もってそらごと・たわごと・真実《まこと》あることなし」

そらごと、たわごとに例外はないのだ。

「死んではならぬ」「強く生きよ」と高々と、命の尊重を説いた先生が、あっさり首を吊《つ》って世を驚《おどろ》かす。なぜか有名人の自殺は美化されるが、生命の尊厳性が確認されない限り、自殺の是非《ぜひ》も、そらごとたわごとの、ひとこまにすぎ

*冥土の道に王はない　誰も死を免れることはできないということ。
*太閤　豊臣秀吉のこと。
*響流　響き渡ること。

ない。

そらごと、たわごとに生きるのは、噴火山上《ふんかざんじょう》の舞踏《ぶとう》に等しく、不気味な不安に耐《た》えきれず、死を選ぶのもむべなるかなと思われる。

されぱこそ、聖人《しょうにん》の大啓蒙《だいけいもう》だ。

「ただ念仏《ねんぶつ》のみぞまことにておわします」

〝みな人よ、限りなき生命の歓喜《かんぎ》（摂取不捨の利益《せっしゅふしゃのりやく》）＊を獲《え》て、ただ念仏するほか、人と生まれし本懐《ほんがい》はないのだよ〟

親鸞聖人《しんらんしょうにん》九十年、唯一《ゆいいつ》のメッセージを伝えんと、泣く泣く筆を染めた渾身《こんしん》の書が、『歎異抄《たんにしょう》』と言えよう。

＊**摂取不捨の利益**　摂め取られ、捨てられない幸福。

第三部　『歎異抄』の原文

【序】

ひそかに愚案《ぐあん》を廻《めぐ》らして、ほぼ古今《ここん》を勘《かんが》うるに、先師《せんし》の口伝《くでん》の真信《しんしん》に異《こと》なることを歎《なげ》き、後学相続《こうがくそうぞく》の疑惑《ぎわく》あることを思《おも》うに、幸《さいわ》いに有縁《うえん》の知識《ちしき》によらずば、いかでか易行《いぎょう》の一門《いちもん》に入《い》ることを得《え》んや。まったく自見《じけん》の覚悟《かくご》をもって、他力《たりき》の宗旨《しゅうし》を乱《みだ》ることなかれ。

よって故親鸞聖人《こしんらんしょうにん》の御物語《おんものがたり》の趣《おもむき》、耳《みみ》の底《そこ》に留《とど》むる所《ところ》、いささかこれを註《しる》す。ひとえに同心行者《どうしんぎょうじゃ》の不審《ふしん》を散《さん》ぜんがためなり。

【第一章】

「弥陀《みだ》の誓願《せいがん》不思議《ふしぎ》に助《たす》けられまいらせて往生《おうじょう》をば遂《と》ぐるなり」と信《しん》じて「念仏申《ねんぶつもう》さん」と思《おも》いたつ心《こころ》のおこるとき、すなわち摂取不捨《せっしゅふしゃ》の利益《りやく》にあずけしめたまうなり。

弥陀《みだ》の本願《ほんがん》には老少善悪《ろうしょうぜんあく》の人《ひと》をえらばず、ただ信心《しんじん》を要《よう》とすと知《し》るべし。

そのゆえは、罪悪深重《ざいあくじんじゅう》・煩悩熾盛《ぼんのうしじょう》の衆生《しゅじょう》を助《たす》けんがための願《がん》にてましします。

しかれば本願《ほんがん》を信《しん》ぜんには、他《た》の善《ぜん》も要《よう》にあらず、念仏《ねんぶつ》にまさるべき善《ぜん》なきがゆえに、悪《あく》をもおそるべからず、弥陀《みだ》の本願《ほんがん》をさまたぐるほどの悪《あく》なきがゆえに、と云々《うんぬん》。

【第二章】

おのおの十余《じゅうよ》ヶ国《かこく》の境《さかい》を越《こ》えて、身命《しんみょう》を顧《かえり》みずして訪《たず》ね来《きた》らしめたまう御志《おんこころざし》、ひとえに往生極楽《おうじょうごくらく》の道《みち》を問《と》い聞《き》かんがためなり。

しかるに、念仏《ねんぶつ》よりほかに往生《おうじょう》の道《みち》をも存知《ぞんじ》し、また法文等《ほうもんとう》をも知《し》りたるらんと、心《こころ》にくく思《おぼ》し召《め》しておわしましてはんべらば、大《おお》きなる誤《あやま》りなり。

もししからば、南都北嶺《なんとほくれい》にもゆゆしき学匠《がくしょう》たち多《おお》く座《おわ》せられて候《そうろう》なれば、かの人々《ひとびと》にもあいたてまつりて、往《おう》生《じょう》の要《よう》よくよく聞《き》かるべきなり。

親鸞《しんらん》におきては、「ただ念仏《ねんぶつ》して弥陀《みだ》に助《たす》けられまいらすべし」と、よき人《ひと》の仰《おお》せを被《かぶ》りて信《しん》ずるほかに、別《べつ》の子細《しさい》なきなり。

念仏《ねんぶつ》は、まことに浄土《じょうど》に生《う》まるるたねにてやはんべるらん、また地獄《じごく》に堕《お》つる業《ごう》にてやはんべるらん、総《そう》じてもって存知《ぞんじ》せざるなり。たとい法然聖人《ほうねんしょうにん》にすかされまいらせて、念仏《ねんぶつ》して地獄《じごく》に堕《お》ちたりとも、さらに後悔《こうかい》すべからず候《そうろう》。

そのゆえは、自余《じよ》の行《ぎょう》を励《はげ》みて仏《ぶつ》になるべかりける身《み》が、念仏《ねんぶつ》を申《もう》して地獄《じごく》にも堕《お》ちて候《そうら》わばこそ、「すかされたてまつりて」という後悔《こうかい》も候《そうら》わめ。いずれの行《ぎょう》も及《およ》び難《がた》き身《み》なれば、とても地獄《じごく》は一定《いちじょう》すみかぞかし。

弥陀《みだ》の本願《ほんがん》まことにおわしまさば、釈尊《しゃくそん》の説教《せっきょう》、虚言《きょごん》なるべからず。仏説《ぶっせつ》まことにおわしまさば、善導《ぜんどう》の御釈《おんしゃく》、虚言《きょごん》したまうべからず。善導《ぜんどう》の御釈《おんしゃく》まことならば、法然《ほうねん》の仰《おお》せ、そらごとならんや。法然《ほうねん》の仰《おお》せまことならば、親鸞《しんらん》が申《もう》す旨《むね》、またもってむなしかるべからず候《そうろう》か。詮《せん》ずるところ、愚身《ぐしん》が信心《しんじん》におきてはかくのごとし。このうえは、念仏《ねんぶつ》をとりて信《しん》じたてまつらんとも、またすてんとも、面々《めんめん》の御計《おんはか》らいなり、と云々《うんぬん》。

【第三章】

善人《ぜんにん》なおもって往生《おうじょう》を遂《と》ぐ、いわんや悪人《あくにん》をや。しかるを世《よ》の人《ひと》つねにいわく、「悪人《あくにん》なお往生《おうじょう》す、いかにいわんや善人《ぜんにん》をや」。この条《じょう》、一旦《いったん》そのいわれあるに似《に》たれども、本願他力《ほんがんたりき》の意趣《いしゅ》に背《そむ》けり。

そのゆえは、自力作善《じりきさぜん》の人《ひと》は、ひとえに他力《たりき》をたのむ心欠《こころか》けたる間《あいだ》、弥陀《みだ》の本願《ほんがん》にあらず。しかれども、自力《じりき》の心《こころ》をひるがえして、他力《たりき》をたのみたてまつれば、真実《しんじつ》報土《ほうど》の往生《おうじょう》を遂《と》ぐるなり。

煩悩具足《ぼんのうぐそく》の我《われ》らはいずれの行《ぎょう》にても生死《しょうじ》を離《はな》るることあるべからざるを憐《あわ》れみたまいて願《がん》をおこしたまう本意《ほんい》、

悪人成仏《あくにんじょうぶつ》のためなれば、他力《たりき》をたのみたてまつる悪人《あくにん》、もっとも往生《おうじょう》の正因《しょういん》なり。よって善人《ぜんにん》だにこそ往生《おうじょう》すれ、まして悪人《あくにん》は、と仰《おお》せ候《そうら》いき。

【第四章】

慈悲《じひ》に聖道《しょうどう》・浄土《じょうど》のかわりめあり。

聖道《しょうどう》の慈悲《じひ》というは、ものを憐《あわ》れみ愛《かな》しみ育《はぐく》むなり。しかれども、思《おも》うがごとく助《たす》け遂《と》ぐること、極《きわ》めてありがたし。

浄土《じょうど》の慈悲《じひ》というは、念仏《ねんぶつ》して急《いそ》ぎ仏《ほとけ》になりて、大慈《だいじ》大悲心《だいひしん》をもって思《おも》うがごとく衆生《しゅじょう》を利益《りやく》するをいうべきなり。

今生《こんじょう》に、いかにいとおし不便《ふびん》と思《おも》うとも、存知《ぞんじ》のごとく助《たす》け難《がた》ければ、この慈悲《じひ》始終《しじゅう》なし。しかれば念仏申《ねんぶつもう》すのみぞ、末徹《すえとお》りたる大慈悲心《だいじひしん》にて候《そうろう》べき、と云々《うんぬん》。

【第五章】

親鸞《しんらん》は父母《ふも》の孝養《こうよう》のためとて念仏《ねんぶつ》、一返《いっぺん》にても申《もう》したることいまだ候《そうら》わず。

そのゆえは、一切《いっさい》の有情《うじょう》は皆《みな》もって世々《せせ》生々《しょうじょう》の父母《ふも》兄弟《きょうだい》なり。いずれもいずれも、この順次生《じゅんじしょう》に仏《ぶつ》に成《な》りて助《たす》け候《そうろう》べきなり。

わが力《ちから》にて励《はげ》む善《ぜん》にても候《そうら》わばこそ、念仏《ねんぶつ》を廻向《えこう》して父母《ふも》をも助《たす》け候《そうら》わめ、ただ自力《じりき》をすてて急《いそ》ぎ浄土《じょうど》のさとりを開《ひら》きなば、六道四生《ろくどうししょう》のあいだ、いずれの業苦《ごうく》に沈《しず》めりとも、神通方便《じんずうほうべん》をもってまず有縁《うえん》を度《ど》すべきなり、と云々《うんぬん》。

【第六章】

専修念仏《せんじゅねんぶつ》の輩《ともがら》の、「わが弟子《でし》、ひとの弟子《でし》」という相論《そうろん》の候《そうろう》らんこと、もってのほかの子細《しさい》なり。

親鸞《しんらん》は弟子《でし》一人《いちにん》ももたず候《そうろう》。

そのゆえは、わが計《はか》らいにて人《ひと》に念仏《ねんぶつ》を申《もう》させ候《そうら》わばこそ、弟子《でし》にても候《そうら》わめ、ひとえに弥陀《みだ》の御《おん》もよおしにあずかりて念仏申《ねんぶつもう》し候人《そうろうひと》を、「わが弟子《でし》」と申《もう》すこと、極《きわ》めたる荒涼《こうりょう》のことなり。

つくべき縁《えん》あれば伴《とも》ない、離《はな》るべき縁《えん》あれば離《はな》るることのあるをも、「師《し》を背《そむ》きて人《ひと》につれて念仏《ねんぶつ》すれば、往生《おうじょう》すべからざるものなり」なんどいうこと不可説《ふかせつ》なり。

如来《にょらい》より賜《たまわ》りたる信心《しんじん》を、わがもの顔《がお》に取《と》り返《かえ》さんと申《もう》すにや。かえすがえすも、あるべからざることなり。自然《じねん》の理《ことわり》にあいかなわば、仏恩《ぶっとん》をも知《し》り、また師《し》の恩《おん》をも知《し》るべきなり、と云々《うんぬん》。

【第七章】

念仏者《ねんぶつしゃ》は無碍《むげ》の一道《いちどう》なり。そのいわれ如何《いかん》とならば、信心《しんじん》の行者《ぎょうじゃ》には、天神《てんじん》・地祇《ちぎ》も敬伏《きょうぶく》し、魔界《まかい》・外道《げどう》も障《しょう》碍《げ》することなし。罪悪《ざいあく》も業報《ごうほう》を感《かん》ずることあたわず、諸《しょ》善《ぜん》も及《およ》ぶことなきゆえに、無碍《むげ》の一道《いちどう》なり、と云々《うんぬん》。

【第八章】

念仏《ねんぶつ》は行者《ぎょうじゃ》のために非行《ひぎょう》・非善《ひぜん》なり。わが計《はか》らいにて行《ぎょう》ずるにあらざれば非行《ひぎょう》という、わが計《はか》らいにてつくる善《ぜん》にもあらざれば非善《ひぜん》という。

ひとえに他力《たりき》にして自力《じりき》を離《はな》れたるゆえに、行者《ぎょうじゃ》のためには非行《ひぎょう》・非善《ひぜん》なり、と云々《うんぬん》。

【第九章】

「念仏申《ねんぶつもう》し候《そうら》えども、踊躍歓喜《ゆやくかんぎ》の心《こころ》おろそかに候《そうろう》こと、また急《いそ》ぎ浄土《じょうど》へ参《まい》りたき心《こころ》の候《そうら》わぬは、いかにと候《そうろう》べきことにて候《そうろう》やらん」と申《もう》しいれて候《そうら》いしかば、

「親鸞《しんらん》もこの不審《ふしん》ありつるに、唯円房《ゆいえんぼう》、同《おな》じ心《こころ》にてありけり。よくよく案《あん》じみれば、天《てん》におどり地《ち》におどるほどに喜《よろこ》ぶべきことを喜《よろこ》ばぬにて、いよいよ往生《おうじょう》は一定《いちじょう》と思《おも》いたまうべきなり。

喜《よろこ》ぶべき心《こころ》を抑《おさ》えて喜《よろこ》ばせざるは、煩悩《ぼんのう》の所為《しょい》なり。しかるに仏《ぶつ》かねて知《し》ろしめして、煩悩具足《ぼんのうぐそく》の凡夫《ぼんぶ》と仰《おお》せられたることなれば、他力《たりき》の悲願《ひがん》は、かくのごときの我《われ》らがためなりけりと知《し》られて、いよいよ頼《たの》もしく覚《おぼ》ゆるなり。

また浄土《じょうど》へ急《いそ》ぎ参《まい》りたき心《こころ》のなくて、いささか所労《しょろう》のこともあれば、死《し》なんずるやらんと心細《こころぼそ》く覚《おぼ》ゆることも、煩悩《ぼんのう》の所為《しょい》なり。

久遠劫《くおんごう》より今《いま》まで流転《るてん》せる苦悩《くのう》の旧里《きゅうり》はすてがたく、いまだ生《う》まれざる安養《あんよう》の浄土《じょうど》は恋《こい》しからず候《そうろう》こと、まことによくよく煩悩《ぼんのう》の興盛《こうじょう》に候《そうろう》にこそ。

名残惜《なごりお》しく思《おも》えども、娑婆《しゃば》の縁《えん》つきて力《ちから》なくして終《お》わるときに、かの土《ど》へは参《まい》るべきなり。急《いそ》ぎ参《まい》りたき心《こころ》なき者《もの》を、ことに憐《あわ》れみたまうなり。

これにつけてこそ、いよいよ大悲大願《だいひだいがん》は頼《たの》もしく、往《おう》生《じょう》は決定《けつじょう》と存《ぞん》じ候《そうら》え。

踊躍歓喜《ゆやくかんぎ》の心《こころ》もあり、急《いそ》ぎ浄土《じょうど》へも参《まい》りたく候《そうら》わんには、煩悩《ぼんのう》のなきやらんと、あやしく候《そうら》いなまし」と云々《うんぬん》。

【第十章】

念仏《ねんぶつ》には無義《むぎ》をもって義《ぎ》とす、不可称《ふかしょう》・不可説《ふかせつ》・不可《ふか》思議《しぎ》のゆえに、と仰《おお》せ候《そうら》いき。

【別序】

そもそもかの御在生《ございしょう》の昔《むかし》、同《おな》じ志《こころざし》にして歩《あゆ》みを遼遠《りょうえん》の洛陽《らくよう》に励《はげ》まし、信《しん》を一《ひと》つにして心《こころ》を当来《とうらい》の報土《ほうど》にかけし輩《ともがら》は、同時《どうじ》に御意趣《ごいしゅ》を承《うけたまわ》りしかども、その人々《ひとびと》に伴《ともな》いて念仏申《ねんぶつもう》さるる老若《ろうにゃく》、その数《かず》を知《し》らずおわします中《なか》に、聖《しょう》人《にん》の仰《おお》せにあらざる異義《いぎ》どもを、近来《ちかごろ》は多《おお》く仰《おお》せられおうて候由《そうろうよし》、伝《つた》え承《うけたまわ》る。いわれなき条々《じょうじょう》の子細《しさい》のこと。

【第十一章】

一文不通《いちもんふつう》の輩《ともがら》の念仏申《ねんぶつもう》すにおうて、「汝《なんじ》は誓願不思議《せいがんふしぎ》を信《しん》じて念仏申《ねんぶつもう》すか、また名号不思議《みょうごうふしぎ》を信《しん》ずるか」と言《い》い驚《おどろ》かして、二《ふた》つの不思議《ふしぎ》の子細《しさい》をも分明《ふんみょう》に言《い》いひらかずして、人《ひと》の心《こころ》を惑《まど》わすこと。この条《じょう》、かえすがえすも心《こころ》をとどめて思《おも》い分《わ》くべきことなり。

誓願《せいがん》の不思議《ふしぎ》によりて、たもちやすく、称《とな》えやすき名《みょう》号《ごう》を案《あん》じ出《いだ》したまいて、「この名字《みょうじ》を称《とな》えん者《もの》を迎《むか》えとらん」と御約束《おんやくそく》あることなれば、まず「弥陀《みだ》の大悲大願《だいひだいがん》の不思議《ふしぎ》に助《たす》けられまいらせて生死《しょうじ》を出《い》ずべし」と信《しん》じて、「念仏《ねんぶつ》の申《もう》さるるも、如来《にょらい》の御計《おんはか》らいなり」と思《おも》えば、少《すこ》しも自《みずか》らの計《はか》らい交《まじ》わらざるがゆえに、本願《ほんがん》に相《そう》応《おう》して実報土《じっぽうど》に往生《おうじょう》するなり。これは誓願《せいがん》の不思議《ふしぎ》をむねと信《しん》じたてまつれば、名号《みょうごう》の不思議《ふしぎ》も具足《ぐそく》して、誓願《せいがん》・名号《みょうごう》の不思議《ふしぎ》一《ひと》つにして、さらに異《こと》なることなきなり。

次《つぎ》に自《みずか》らの計《はか》らいをさしはさみて、善悪《ぜんあく》の二《ふた》つにつきて、往生《おうじょう》の助《たす》け・障《さわ》り、二様《ふたよう》に思《おも》うは、誓願《せいがん》の不思議《ふしぎ》をばたのまずして、わが心《こころ》に往生《おうじょう》の業《ごう》を励《はげ》みて、申《もう》すところの念仏《ねんぶつ》をも自行《じぎょう》になすなり。この人《ひと》は、名号《みょうごう》の不思議《ふしぎ》をもまた信《しん》ぜざるなり。信《しん》ぜざれども、辺地《へんじ》・懈慢《けまん》・疑《ぎ》城《じょう》・胎宮《たいぐ》にも往生《おうじょう》して、果遂《かすい》の願《がん》のゆえに、ついに報土《ほうど》に生《しょう》ずるは、名号不思議《みょうごうふしぎ》の力《ちから》なり。これすなわち誓願不《せいがんふ》思議《しぎ》のゆえなれば、ただ一《ひと》つなるべし。

【第十二章】

経釈《きょうしゃく》を読《よ》み学《がく》せざる輩《ともがら》、往生不定《おうじょうふじょう》の由《よし》のこと。この条《じょう》、すこぶる不足言《ふそくごん》の義《ぎ》と言《い》いつべし。

他力真実《たりきしんじつ》の旨《むね》を明《あ》かせる諸《もろもろ》の聖教《しょうぎょう》は、本願《ほんがん》を信《しん》じ念仏《ねんぶつ》を申《もう》さば仏《ぶつ》に成《な》る、そのほか何《なに》の学問《がくもん》かは往生《おうじょう》の要《よう》なるべきや。まことにこの理《ことわり》に迷《まよ》えらん人《ひと》は、いかにもいかにも学問《がくもん》して、本願《ほんがん》の旨《むね》を知《し》るべきなり。経釈《きょうしゃく》を読《よ》み学《がく》すといえども、聖教《しょうぎょう》の本意《ほんい》を心得《こころえ》ざる条《じょう》、もっとも不便《ふびん》のことなり。

一文不通《いちもんふつう》にして経釈《きょうしゃく》の行《ゆ》く路《じ》も知《し》らざらん人《ひと》の、称《とな》えやすからんための名号《みょうごう》におわしますゆえに、易行《いぎょう》という。学問《がくもん》を旨《むね》とするは聖道門《しょうどうもん》なり、難行《なんぎょう》と名《な》づく。「あやまって学問《がくもん》して名聞利養《みょうもんりよう》のおもいに住《じゅう》する人《ひと》、順次《じゅんじ》の往生《おうじょう》いかがあらんずらん」という証文《しょうもん》も候《そうろう》べきや。

当時《とうじ》、専修念仏《せんじゅねんぶつ》の人《ひと》と聖道門《しょうどうもん》の人《ひと》、諍論《じょうろん》を企《くわだ》てて、「わが宗《しゅう》こそ勝《すぐ》れたれ、人《ひと》の宗《しゅう》は劣《おと》りなり」と言《い》うほどに、法敵《ほうてき》も出《い》で来《きた》り、謗法《ほうぼう》もおこる。これしかしながら、自《みずか》らわが法《ほう》を破謗《はぼう》するにあらずや。たとい諸門《しょもん》こぞりて「念仏《ねんぶつ》はかいなき人《ひと》のためなり、その宗浅《しゅうあさ》しいやし」と言《い》うとも、さらに争《あらそ》わずして、「我《われ》らがごとく下根《げこん》の凡夫《ぼんぶ》、一文不通《いちもんふつう》の者《もの》の、信《しん》ずれば助《たす》かる由《よし》、承《うけたまわ》りて信《しん》じ候《そうら》えば、さらに上根《じょうこん》の人《ひと》のためにはいやしくとも、我《われ》らがためには最上《さいじょう》の法《ほう》にてまします。たとい自余《じよ》の教法《きょうぼう》は勝《すぐ》れたりとも、自《みずか》らがためには器量及《きりょうおよ》ばざれば、つとめがたし。我《われ》も人《ひと》も生死《しょうじ》を離《はな》れんことこそ諸仏《しょぶつ》の御本意《ごほんい》にておわしませば、御妨《おんさまた》げあるべからず」とて、にくい気《げ》せずは、誰《たれ》の人《ひと》かありて仇《あだ》をなすべきや。かつは「諍論《じょうろん》のところには諸《もろもろ》の煩悩《ぼんのう》おこる、智者遠離《ちしゃおんり》すべき」由《よし》の証文《しょうもん》候《そうろう》にこそ。

故聖人《こしょうにん》の仰《おお》せには、「『この法《ほう》をば信《しん》ずる衆生《しゅじょう》もあり、謗《そし》る衆生《しゅじょう》もあるべし』と、仏説《ぶっと》きおかせたまいたることなれば、我《われ》はすでに信《しん》じたてまつる、また人《ひと》ありて謗《そし》るにて、仏説《ぶっせつ》まことなりけりと知《し》られ候《そうろう》。しかれば『往生《おうじょう》はいよいよ一定《いちじょう》』と思《おも》いたまうべきなり。あやまって謗《そし》る人《ひと》の候《そうら》わざらんにこそ、『いかに信《しん》ずる人《ひと》はあれども、謗《そし》る人《ひと》のなきやらん』ともおぼえ候《そうら》いぬべけれ。かく申《もう》せばとて、必《かなら》ず人《ひと》に謗《そし》られんとにはあらず。仏《ぶつ》のかねて信謗《しんぼう》ともにあるべき旨《むね》を知《し》ろしめして、『人《ひと》の疑《うたが》いをあらせじ』と説《と》きおかせたまうことを申《もう》すなり」とこそ候《そうら》いしか。

今《いま》の世《よ》には、学問《がくもん》して人《ひと》の謗《そし》りをやめ、ひとえに論義《ろんぎ》問答旨《もんどうむね》とせんとかまえられ候《そうろう》にや。学問《がくもん》せば、いよいよ如来《にょらい》の御本意《ごほんい》を知《し》り、悲願《ひがん》の広大《こうだい》の旨《むね》をも存知《ぞんじ》して、「いやしからん身《み》にて往生《おうじょう》はいかが」なんどと危《あや》ぶまん人《ひと》にも、本願《ほんがん》には善悪《ぜんあく》・浄穢《じょうえ》なき趣《おもむき》をも説《と》き聞《き》かせられ候《そうら》わばこそ、学匠《がくしょう》の甲斐《かい》にても候《そうら》わめ、たまたま何心《なにごころ》もなく本願《ほんがん》に相応《そうおう》して念仏《ねんぶつ》する人《ひと》をも、「学問《がくもん》してこそ」なんどと言《い》いおどさるること、法《ほう》の魔障《ましょう》なり、仏《ぶつ》の怨敵《おんてき》なり。自《みずか》ら他力《たりき》の信心《しんじん》欠《か》くるのみならず、あやまって他《た》を迷《まよ》わさんとす。

つつしんで恐《おそ》るべし、先師《せんし》の御心《みこころ》に背《そむ》くことを。かねて憐《あわ》れむべし、弥陀《みだ》の本願《ほんがん》にあらざることを。

【第十三章】

弥陀《みだ》の本願不思議《ほんがんふしぎ》におわしませばとて悪《あく》をおそれざるは、また本願《ほんがん》ぼこりとて往生《おうじょう》かなうべからずということ。

この条《じょう》、本願《ほんがん》を疑《うたが》う、善悪《ぜんあく》の宿業《しゅくごう》を心得《こころえ》ざるなり。

善《よ》き心《こころ》のおこるも宿善《しゅくぜん》のもよおすゆえなり。悪事《あくじ》の思《おも》われせらるるも悪業《あくごう》の計《はか》らうゆえなり。故聖人《こしょうにん》の仰《おお》せには、「卯毛《うのけ》・羊毛《ひつじのけ》のさきにいる塵《ちり》ばかりも、つくる罪《つみ》の宿業《しゅくごう》にあらずということなしと知《し》るべし」と候《そうら》いき。

またあるとき、「唯円房《ゆいえんぼう》はわが言《い》うことをば信《しん》ずるか」と仰《おお》せの候《そうら》いし間《あいだ》、「さん候《ぞうろう》」と申《もう》し候《そうら》いしかば、「さらば言《い》わんこと違《たが》うまじきか」と重《かさ》ねて仰《おお》せの候《そうら》いし間《あいだ》、つつしんで領状申《りょうじょうもう》して候《そうら》いしかば、「たとえば人《ひと》を千人《せんにん》殺《ころ》してんや、しからば往生《おうじょう》は一定《いちじょう》すべし」と仰《おお》せ候《そうら》いしとき、「仰《おお》せにては候《そうら》えども、一人《いちにん》もこの身《み》の器量《きりょう》にては殺《ころ》しつべしともおぼえず候《そうろう》」と申《もう》して候《そうら》いしかば、「さてはいかに親鸞《しんらん》が言《い》うことを違《たが》うまじきとは言《い》うぞ」と。「これにて知《し》るべし、何事《なにごと》も心《こころ》にまかせたることならば、往生《おうじょう》のために千人殺《せんにんころ》せと言《い》わんに、すなわち殺《ころ》すべし。しかれども一人《いちにん》にてもかないぬべき業縁《ごうえん》なきによりて害《がい》せざるなり。わが心《こころ》の善《よ》くて殺《ころ》さぬにはあらず、また害《がい》せじと思《おも》うとも百人千人《ひゃくにんせんにん》を殺《ころ》すこともあるべし」と仰《おお》せの候《そうら》いしは、我《われ》らが心《こころ》の善《よ》きをば善《よ》しと思《おも》い、悪《あ》しきことをば悪《あ》しと思《おも》いて、願《がん》の不思議《ふしぎ》にて助《たす》けたまうということを知《し》らざることを、仰《おお》せの候《そうら》いしなり。

そのかみ、邪見《じゃけん》におちたる人《ひと》あって、「悪《あく》をつくりたる者《もの》を助《たす》けんという願《がん》にてましませば」とて、わざと好《この》みて悪《あく》をつくりて、「往生《おうじょう》の業《ごう》とすべき」由《よし》を言《い》いて、ようように悪《あ》し様《ざま》なることの聞《き》こえ候《そうら》いしとき、御消息《ごしょうそく》に「薬《くすり》あればとて毒《どく》を好《この》むべからず」とあそばされて候《そうろう》は、かの邪執《じゃしゅう》を止《や》めんがためなり。まったく「悪《あく》は往生《おうじょう》の障《さわ》りたるべし」とにはあらず。持戒持律《じかいじりつ》にてのみ本願《ほんがん》を信《しん》ずべくは、我《われ》らいかでか生死《しょうじ》を離《はな》るべきや。かかる浅《あさ》ましき身《み》も、本願《ほんがん》にあいたてまつりてこそ、げにほこられ候《そうら》え。さればとて、身《み》にそなえざらん悪業《あくごう》は、よもつくられ候《そうら》わじものを。

また、「海河《うみかわ》に網《あみ》をひき釣《つ》りをして世《よ》を渡《わた》る者《もの》も、野《の》山《やま》に獣《しし》を狩《か》り鳥《とり》をとりて命《いのち》をつぐ輩《ともがら》も、商《あきな》いをもし田畠《たはた》を作《つく》りて過《す》ぐる人《ひと》も、ただ同《おな》じことなり」と。「さるべき業縁《ごうえん》のもよおせば、いかなる振《ふ》る舞《ま》いもすべし」とこそ、聖人《しょうにん》は仰《おお》せ候《そうら》いしに、当時《とうじ》は後世者《ごせしゃ》ぶりして、善《よ》からん者《もの》ばかり念仏申《ねんぶつもう》すべきように、あるいは道《どう》場《じょう》に貼《は》り文《ぶみ》をして、「何々《なんなん》の事《こと》したらん者《もの》をば、道場《どうじょう》へ入《い》るべからず」なんどということ、ひとえに賢善精進《けんぜんしょうじん》の相《そう》を外《ほか》に示《しめ》して、内《うち》には虚仮《こけ》を懐《いだ》けるものか。

願《がん》にほこりてつくらん罪《つみ》も、宿業《しゅくごう》のもよおすゆえなり。されば善《よ》きことも悪《あ》しきことも、業報《ごうほう》にさしまかせて、ひとえに本願《ほんがん》をたのみまいらすればこそ、他力《たりき》にては候《そうら》え。『唯信抄《ゆいしんしょう》』にも、「弥陀《みだ》いかばかりの力《ちから》ましますと知《し》りてか、罪業《ざいごう》の身《み》なれば救《すく》われ難《がた》しと思《おも》うべき」と候《そうろう》ぞかし。本願《ほんがん》にほこる心《こころ》のあらんにつけてこそ、他力《たりき》をたのむ信心《しんじん》も決定《けつじょう》しぬべきことにて候《そうら》え。

おおよそ悪業煩悩《あくごうぼんのう》を断《だん》じ尽《つ》くして後《のち》、本願《ほんがん》を信《しん》ぜんのみぞ、願《がん》にほこる思《おも》いもなくてよかるべきに、煩悩《ぼんのう》を断《だん》じなばすなわち仏《ぶつ》になり、仏《ぶつ》のためには五劫思惟《ごこうしゆい》の願《がん》、その詮《せん》なくやましまさん。本願《ほんがん》ぼこりと誡《いまし》めらるる人々《ひとびと》も、煩悩不浄具足《ぼんのうふじょうぐそく》せられてこそ候《そうろう》げなれ。それは願《がん》にほこらるるにあらずや。いかなる悪《あく》を本願《ほんがん》ぼこりという、いかなる悪《あく》がほこらぬにて候《そうろう》べきぞや。かえりて心幼《こころおさな》きことか。

【第十四章】

「一念《いちねん》に八十億劫《はちじゅうおくこう》の重罪《じゅうざい》を滅《めっ》すと信《しん》ずべし」ということ。

この条《じょう》は十悪《じゅうあく》・五逆《ごぎゃく》の罪人《ざいにん》、日《ひ》ごろ念仏《ねんぶつ》を申《もう》さずして、命終《みょうじゅう》のとき、初《はじ》めて善知識《ぜんぢしき》の教《おし》えにて、一念申《いちねんもう》せば八十《はちじゅう》億劫《おくこう》の罪《つみ》を滅《めっ》し、十念申《じゅうねんもう》せば十《と》八十億劫《はちじゅうおくこう》の重罪《じゅうざい》を滅《めっ》して往生《おうじょう》すといえり。

これは十悪《じゅうあく》・五逆《ごぎゃく》の軽重《きょうじゅう》を知《し》らせんがために、一念《いちねん》・十念《じゅうねん》といえるか。滅罪《めつざい》の利益《りやく》なり。いまだ我《われ》らが信《しん》ずるところに及《およ》ばず。

そのゆえは、弥陀《みだ》の光明《こうみょう》に照《て》らされまいらするゆえに、一念発起《いちねんほっき》するとき金剛《こんごう》の信心《しんじん》を賜《たまわ》りぬれば、すでに定聚《じょうじゅ》の位《くらい》におさめしめたまいて、命終《みょうじゅう》すれば、諸《もろもろ》の煩悩悪障《ぼんのうあくしょう》を転《てん》じて、無生忍《むしょうにん》をさとらしめたまうなり。「この悲願《ひがん》ましまさずは、かかる浅《あさ》ましき罪人《ざいにん》、いかでか生死《しょうじ》を解《げ》脱《だつ》すべき」と思《おも》いて、一生《いっしょう》の間申《あいだもう》すところの念仏《ねんぶつ》は、皆《みな》悉《ことごと》く「如来大悲《にょらいだいひ》の恩《おん》を報《ほう》じ、徳《とく》を謝《しゃ》す」と思《おも》うべきなり。

念仏申《ねんぶつもう》さんごとに罪《つみ》を滅《ほろ》ぼさんと信《しん》ぜば、すでに我《われ》と罪《つみ》を消《け》して往生《おうじょう》せんと励《はげ》むにてこそ候《そうろう》なれ。もししからば、一生《いっしょう》の間思《あいだおも》いと思《おも》うこと、皆生死《みなしょうじ》の絆《きずな》にあらざることなければ、命《いのち》つきんまで念仏退転《ねんぶつたいてん》せずして往生《おうじょう》すべし。ただし業報《ごうほう》かぎりあることなれば、いかなる不思議《ふしぎ》のことにもあい、また病悩苦痛《びょうのうくつう》をせめて正念《しょうねん》に住《じゅう》せずして終《お》わらん、念仏申《ねんぶつもう》すこと難《かた》し。その間《あいだ》の罪《つみ》は、いかがして滅《めっ》すべきや。罪消《つみき》えざれば往生《おうじょう》はかなうべからざるか。摂取不捨《せっしゅふしゃ》の願《がん》をたのみたてまつらば、いかなる不思議《ふしぎ》ありて悪業《あくごう》をおかし、念仏申《ねんぶつもう》さずして終《お》わるとも、すみやかに往生《おうじょう》を遂《と》ぐべし。また念仏《ねんぶつ》の申《もう》されんも、ただ今《いま》さとりを開《ひら》かんずる期《ご》の近《ちか》づくにしたがいても、いよいよ弥陀《みだ》をたのみ御恩《ごおん》を報《ほう》じたてまつるにてこそ候《そうら》わめ。罪《つみ》を滅《めっ》せんと思《おも》わんは自力《じりき》の心《こころ》にして臨終正念《りんじゅうしょうねん》といのる人《ひと》の本意《ほんい》なれば、他力《たりき》の信心《しんじん》なきにて候《そうろう》なり。

【第十五章】

煩悩具足《ぼんのうぐそく》の身《み》をもって、すでにさとりを開《ひら》くということ。この条《じょう》、もってのほかの事《こと》に候《そうろう》。即身成仏《そくしんじょうぶつ》は真言秘教《しんごんひきょう》の本意《ほんい》、三密行業《さんみつぎょうごう》の証果《しょうか》なり。六根清浄《ろっこんしょうじょう》はまた法華一乗《ほっけいちじょう》の所説《しょせつ》、四安楽《しあんらく》の行《ぎょう》の感徳《かんとく》なり。これ皆《みな》、難行上根《なんぎょうじょうこん》のつとめ、観念成就《かんねんじょうじゅ》のさとりなり。来生《らいしょう》の開覚《かいかく》は他力浄土《たりきじょうど》の宗旨《しゅうし》、信心決定《しんじんけつじょう》の道《どう》なるがゆえなり。これまた易行下根《いぎょうげこん》のつとめ、不簡善悪《ふけんぜんあく》の法《ほう》なり。

おおよそ今生《こんじょう》においては煩悩《ぼんのう》・悪障《あくしょう》を断《だん》ぜんこと、極《きわ》めてありがたき間《あいだ》、真言《しんごん》・法華《ほっけ》を行《ぎょう》ずる浄侶《じょうりょ》、なおもって順次生《じゅんじしょう》のさとりをいのる。いかにいわんや戒行《かいぎょう》・恵解《えげ》ともになしといえども、弥陀《みだ》の願船《がんせん》に乗《じょう》じて生死《しょうじ》の苦海《くかい》を渡《わた》り、報土《ほうど》の岸《きし》につきぬるものならば、煩悩《ぼんのう》の黒雲《こくうん》はやく霽《は》れ、法性《ほっしょう》の覚月《かくげつ》すみやかに現《あらわ》れて、尽十方《じんじっぽう》の無碍《むげ》の光明《こうみょう》に一味《いちみ》にして、一切《いっさい》の衆生《しゅじょう》を利益《りやく》せんときにこそ、さとりにては候《そうら》え。

この身《み》をもってさとりを開《ひら》くと候《そうろう》なる人《ひと》は、釈尊《しゃくそん》のごとく種々の応化の身をも現じ、三十二相《さんじゅうにそう》・八十随形好《はちじゅうずいぎょうこう》をも具足《ぐそく》して、説法利益《せっぽうりやく》候《そうろう》にや。これをこそ今生《こんじょう》にさとりを開《ひら》く本《ほん》とは申《もう》し候《そうら》え。

和讃《わさん》にいわく、「金剛堅固《こんごうけんご》の信心《しんじん》の、さだまるときをまちえてぞ、弥陀《みだ》の心光摂護《しんこうしょうご》して、ながく生死《しょうじ》をへだてける」とは候《そうら》えば、信心《しんじん》の定《さだ》まるときにひとたび摂取《せっしゅ》して捨《す》てたまわざれば、六道《ろくどう》に輪廻《りんね》すべからず。しかればながく生死《しょうじ》をば隔《へだ》て候《そうろう》ぞかし。かくのごとく知《し》るを、さとるとは言《い》い紛《まぎ》らかすべきや。あわれに候《そうろう》をや。

「浄土真宗《じょうどしんしゅう》には、今生《こんじょう》に本願《ほんがん》を信《しん》じて、かの土《ど》にしてさとりをば開《ひら》くとならい候《そうろう》ぞ」とこそ、故聖人《こしょうにん》の仰《おお》せには候《そうら》いしか。

【第十六章】

信心《しんじん》の行者《ぎょうじゃ》、自然《じねん》に腹《はら》をも立《た》て、悪《あ》し様《ざま》なる事《こと》をもおかし、同朋同侶《どうぼうどうりょ》にもあいて口論《こうろん》をもしては、必《かなら》ず廻心《えしん》すべしということ。この条《じょう》、断悪修善《だんあくしゅぜん》のここちか。一向専修《いっこうせんじゅ》の人《ひと》においては、廻心《えしん》ということただ一度《ひとたび》あるべし。その廻心《えしん》は、日《ひ》ごろ本願他力真宗《ほんがんたりきしんしゅう》を知《し》らざる人《ひと》、弥陀《みだ》の智慧《ちえ》を賜《たまわ》りて、「日《ひ》ごろの心《こころ》にては往生《おうじょう》かなうべからず」と思《おも》いて、本《もと》の心《こころ》をひきかえて、本願《ほんがん》をたのみまいらするをこそ、廻心《えしん》とは申《もう》し候《そうら》え。

一切《いっさい》の事《じ》に朝《あした》・夕《ゆうべ》に廻心《えしん》して、往生《おうじょう》を遂《と》げ候《そうろう》べくば、人《ひと》の命《いのち》は、出《い》ずる息《いき》、入《い》る息《いき》を待《ま》たずして終《お》わることなれば、廻心《えしん》もせず、柔和忍辱《にゅうわにんにく》の思《おも》いにも住《じゅう》せざらん前《さき》に命《いのち》つきば、摂取不捨《せっしゅふしゃ》の誓願《せいがん》はむなしくならせおわしますべきにや。

口《くち》には「願力《がんりき》をたのみたてまつる」と言《い》いて、心《こころ》にはとも、「さこそ悪人《あくにん》を助《たす》けんという願不思議《がんふしぎ》にましますというほどに、さすが善《よ》からん者《もの》をこそ助《たす》けたまわんずれ」と思《おも》うほどに、願力《がんりき》を疑《うたが》い他力《たりき》をたのみまいらする心欠《こころか》けて、辺地《へんじ》の生《しょう》を受《う》けんこと、もっとも歎《なげ》き思《おも》いたまうべきことなり。

信心定《しんじんさだ》まりなば往生《おうじょう》は弥陀《みだ》に計《はか》らわれまいらせてする

ことなれば、わが計《はか》らいなるべからず。悪《わろ》からんにつけても、いよいよ願力《がんりき》を仰《あお》ぎまいらせば、自然《じねん》の理《ことわり》にて柔和忍辱《にゅうわにんにく》の心《こころ》も出《い》でくべし。すべて万《よろず》の事《こと》につけて往生《おうじょう》には賢《かしこ》き思《おも》いを具《ぐ》せずして、ただほれぼれと弥陀《みだ》の御恩《ごおん》の深重《じんじゅう》なること、常《つね》は思《おも》い出《いだ》しまいらすべし。しかれば念《ねん》仏《ぶつ》も申《もう》され候《そうろう》。これ自然《じねん》なり。わが計《はか》らわざるを自然《じねん》と申《もう》すなり。これすなわち他力《たりき》にてまします。しかるを、自然《じねん》ということの別《べつ》にあるように、我物知《われものし》り顔《がお》に言《い》う人《ひと》の候由承《そうろうよしうけたまわ》る、浅《あさ》ましく候《そうろう》なり。

【第十七章】

辺地《へんじ》の往生《おうじょう》を遂《と》ぐる人、ついには地獄《じごく》に堕《お》つべしということ。この条《じょう》、いずれの証文《しょうもん》に見《み》え候《そうろう》ぞや。学匠《がくしょう》だつる人《ひと》の中《なか》に言《い》い出《いだ》さるることにて候《そうろう》なるこそ、浅《あさ》ましく候《そうら》え。経《きょう》・論《ろん》・聖教《しょうぎょう》をばいかように見《み》なされて候《そうろう》やらん。

信心欠《しんじんか》けたる行者《ぎょうじゃ》は、本願《ほんがん》を疑《うたが》うによりて辺地《へんじ》に生《しょう》じて、疑《うたが》いの罪《つみ》をつぐのいて後《のち》、報土《ほうど》のさとりを開《ひら》くとこそ承《うけたまわ》り候《そうら》え。

信心《しんじん》の行者少《ぎょうじゃすく》なきゆえに、化土《けど》に多《おお》くすすめ入《い》れられ候《そうろう》を、「ついにむなしくなるべし」と候《そうろう》なるこそ、如来《にょらい》に虚妄《こもう》を申《もう》しつけまいらせられ候《そうろう》なれ。

【第十八章】

仏法《ぶっぽう》の方《かた》に施入物《せにゅうもつ》の多少《たしょう》にしたがいて、大《だい》・小仏《しょうぶつ》に成《な》るべしということ。この条《じょう》、不可説《ふかせつ》なり、不可説《ふかせつ》なり。

比興《ひきょう》のことなり。

まず仏《ぶつ》に大《だい》・小《しょう》の分量《ぶんりょう》を定《さだ》めんことあるべからず候《そうろう》や。かの安養浄土《あんようじょうど》の教主《きょうしゅ》の御身量《ごしんりょう》を説《と》かれて候《そうろう》も、それは方便報身《ほうべんほうじん》のかたちなり。法性《ほっしょう》のさとりを開《ひら》いて長短《ちょうたん》・方円《ほうえん》のかたちにもあらず、青《しょう》・黄《おう》・赤《しゃく》・白《びゃく》・黒《こく》の色《いろ》をも離《はな》れなば、何《なに》をもってか大小《だいしょう》を定《さだ》むべきや。念仏申《ねんぶつもう》すに化仏《けぶつ》を見《み》たてまつるということの候《そうろう》なるこそ、「大念《だいねん》には大《だい》仏《ぶつ》を見《み》、小念《しょうねん》には小仏《しょうぶつ》を見《み》る」といえるが、もしこの理《ことわり》なんどにばし、ひきかけられ候《そうろう》やらん。

かつはまた檀波羅蜜《だんばらみつ》の行《ぎょう》とも言《い》いつべし。いかに宝物《たからもの》を仏前《ぶつぜん》にもなげ、師匠《ししょう》にも施《ほどこ》すとも、信心《しんじん》欠《か》けなばその詮《せん》なし。一紙半銭《いっしはんせん》も仏法《ぶっぽう》の方《かた》に入《い》れずとも、他力《たりき》に心《こころ》をなげて信心深《しんじんふか》くば、それこそ願《がん》の本意《ほんい》にて候《そうら》わめ。すべて仏法《ぶっぽう》に事《こと》を寄《よ》せて世間《せけん》の欲心《よくしん》もあるゆえに、同朋《どうぼう》を言《い》いおどさるるにや。

【後序】

右条々《みぎじょうじょう》は皆《みな》もって、信心《しんじん》の異《こと》なるより起《お》こり候《そうろう》か。故聖人《こしょうにん》の御物語《おんものがたり》に、法然聖人《ほうねんしょうにん》の御時《おんとき》、御弟子《おんでし》その数多《かずおお》かりける中《なか》に、同《おな》じ御信心《ごしんじん》の人《ひと》も少《すく》なくおわしけるにこそ、親鸞御同朋《しんらんおんどうぼう》の御中《おんなか》にして御相論《ごそうろん》のこと候《そうら》いけり。そのゆえは、「善信《ぜんしん》が信心《しんじん》も聖人《しょうにん》の御信心《ごしんじん》も一《ひと》つなり」と仰《おお》せの候《そうら》いければ、勢観房《せいかんぼう》・念仏房《ねんぶつぼう》なんど申《もう》す御同朋《おんどうぼう》達《たち》、もってのほかに争《あらそ》いたまいて、「いかでか聖人《しょうにん》の御《ご》信心《しんじん》に善信房《ぜんしんぼう》の信心《しんじん》一《ひと》つにはあるべきぞ」と候《そうら》いければ、「聖人《しょうにん》の御智慧才覚《おんちえさいかく》博《ひろ》くおわしますに、一《ひと》つならんと申《もう》さばこそ僻事《ひがごと》ならめ、往生《おうじょう》の信心《しんじん》においては全《まった》く異《こと》なることなし、ただ一《ひと》つなり」と御返答《ごへんとう》ありけれども、なお「いかでかその義《ぎ》あらん」という疑難《ぎなん》ありければ、詮《せん》ずるところ聖人《しょうにん》の御前《おんまえ》にて自他《じた》の是非《ぜひ》を定《さだ》むべきにて、この子細《しさい》を申《もう》し上《あ》げければ、法然聖人《ほうねんしょうにん》の仰《おお》せには、「源空《げんくう》が信心《しんじん》も如来《にょらい》より賜《たまわ》りたる信心《しんじん》なり、善信房《ぜんしんぼう》の信心《しんじん》も如《にょ》来《らい》より賜《たまわ》らせたまいたる信心《しんじん》なり、さればただ一《ひと》つなり。

別《べつ》の信心《しんじん》にておわしまさん人《ひと》は、源空《げんくう》が参《まい》らんずる浄土《じょうど》へは、よも参《まい》らせたまい候《そうら》わじ」と仰《おお》せ候《そうら》いしかば、当《とう》時《じ》の一向専修《いっこうせんじゅ》の人々《ひとびと》の中《なか》にも、親鸞《しんらん》の御信心《ごしんじん》に一《ひと》つならぬ御《おん》ことも候《そうろう》らんとおぼえ候《そうろう》。いずれもいずれも繰《く》り言《ごと》にて候《そうら》えども、書《か》き付《つ》け候《そうろう》なり。

露命《ろめい》わずかに枯草《こそう》の身《み》にかかりて候《そうろう》ほどにこそ、相伴《あいともな》わしめたまう人々《ひとびと》、御不審《ごふしん》をも承《うけたまわ》り、聖人《しょうにん》の仰《おお》せの候《そうら》いし趣《おもむき》をも申《もう》し聞《き》かせ参《まい》らせ候《そうら》えども、閉眼《へいがん》の後《のち》は、さこそしどけなき事《こと》どもにて候《そうら》わんずらめと歎《なげ》き存《ぞん》じ候《そうら》いて、かくのごとくの義《ぎ》ども仰《おお》せられあい候人々《そうろうひとびと》にも、言《い》い迷《まよ》わされなんどせらるることの候《そうら》わんときは、故聖人《こしょうにん》の御《おん》心《こころ》にあいかないて御用《おんもち》い候御聖教《そうろうおんしょうぎょう》どもを、よくよく御覧《ごらん》候《そうろう》べし。

おおよそ聖教《しょうぎょう》には、真実《しんじつ》・権仮《ごんけ》ともに相交《あいまじ》わり候《そうろう》なり。権《ごん》をすてて実《じつ》をとり、仮《け》をさしおきて真《しん》を用《もち》いるこそ、聖人《しょうにん》の御本意《ごほんい》にて候《そうら》え。かまえてかまえて聖教《しょうぎょう》を見乱《みみだ》らせたまうまじく候《そうろう》。

大切《たいせつ》の証文《しょうもん》ども、少々《しょうしょう》抜《ぬ》き出《い》で参《まい》らせ候《そうろう》て、目安《めやす》にしてこの書《しょ》に添《そ》え参《まい》らせて候《そうろう》なり。

聖人《しょうにん》の常《つね》の仰《おお》せには、「弥陀《みだ》の五劫思惟《ごこうしゆい》の願《がん》をよくよく案《あん》ずれば、ひとえに親鸞一人《しんらんいちにん》が為《ため》なりけり、されば若干《そくばく》の業《ごう》をもちける身《み》にてありけるを、助《たす》けんと思《おぼ》し召《め》したちける本願《ほんがん》のかたじけなさよ」と御述懐候《ごじゅっかいそうら》いしことを、今《いま》また案《あん》ずるに、善導《ぜんどう》の「自身《じしん》はこれ現《げん》に罪悪生死《ざいあくしょうじ》の凡夫《ぼんぶ》、曠劫《こうごう》よりこのかた、常《つね》に沈《しず》み常《つね》に流転《るてん》して、出離《しゅつり》の縁《えん》あることなき身《み》と知《し》れ」という金言《きんげん》に、少《すこ》しも違《たが》わせおわしまさず。

さればかたじけなく、わが御身《おんみ》にひきかけて、われらが身《み》の罪悪《ざいあく》の深《ふか》きほどをも知《し》らず、如来《にょらい》の御恩《ごおん》の高《たか》きことをも知《し》らずして迷《まよ》えるを、思《おも》い知《し》らせんが為《ため》にて候《そうら》いけり。

まことに如来《にょらい》の御恩《ごおん》ということをば沙汰《さた》なくして、我《われ》も人《ひと》も善《よ》し悪《あ》しということをのみ申《もう》しあえり。聖人《しょうにん》の仰《おお》せには、「善悪《ぜんあく》の二《ふた》つ、総《そう》じてもって存知《ぞんじ》せざるなり。そのゆえは、如来《にょらい》の御心《おんこころ》に善《よ》しと思《おぼ》し召《め》すほどに知《し》りとおしたらばこそ、善《よ》きを知《し》りたるにてもあらめ、如来《にょらい》の悪《あ》しと思《おぼ》し召《め》すほどに知《し》りとおしたらばこそ、悪《あ》しさを知《し》りたるにてもあらめど、煩悩具足《ぼんのうぐそく》の凡夫《ぼんぶ》・火宅無常《かたくむじょう》の世界《せかい》は、万《よろず》のこと皆《みな》もってそらごと・たわごと・真実《まこと》あることなきに、ただ念仏《ねんぶつ》のみぞまことにておわします」とこそ、仰《おお》せは候《そうら》いしか。

まことに我《われ》も人《ひと》も空言《そらごと》をのみ申《もう》しあい候中《そうろうなか》に、一《ひと》つ痛《いた》ましきことの候《そうろう》なり。そのゆえは、念仏申《ねんぶつもう》すについて信心《じん》の趣《おもむき》をもたがいに問答《もんどう》し、人《ひと》にも言《い》い聞《き》かするとき、人《ひと》の口《くち》をふさぎ相論《そうろん》を絶《た》たんために、全《まった》く仰《おお》せにてなきことをも仰《おお》せとのみ申《もう》すこと、浅《あさ》ましく歎《なげ》き存《ぞん》じ候《そうろう》なり。この旨《むね》をよくよく思《おも》い解《と》き、心得《こころえ》らるべきことに候《そうろう》。

これさらに私《わたくし》の言葉《ことば》にあらずといえども、経釈《きょうしゃく》の行《ゆ》く路《じ》も知《し》らず、法文《ほうもん》の浅深《せんじん》を心得《こころえ》わけたることも候《そうら》わねば、定《さだ》めておかしきことにてこそ候《そうら》わめども、故親鸞聖人《こしんらんしょうにん》の仰《おお》せ言候《ごとそうら》いし趣《おもむき》、百分《ひゃくぶん》が一《ひと》つ、片端《かたはし》ばかりをも思《おも》い出《い》で参《まい》らせて書《か》き付《つ》け候《そうろう》なり。

悲《かな》しきかなや、幸《さいわ》いに念仏《ねんぶつ》しながら、直《じき》に報土《ほうど》に生《う》まれずして辺地《へんじ》に宿《やど》をとらんこと。一室《いっしつ》の行者《ぎょうじゃ》の中《なか》に信心《しんじん》異《こと》なることなからんために、泣《な》く泣《な》く筆《ふで》を染《そ》めてこれを記《しる》す。

名《な》づけて歎《たん》異《に》抄《しょう》というべし。外見《がいけん》あるべからず。

後鳥羽院《ごとばいん》の御宇《ぎょう》、法然聖人《ほうねんしょうにん》、他力本願念仏宗《たりきほんがんねんぶつしゅう》を興行《こうぎょう》す。時《とき》に興福寺《こうふくじ》の僧侶《そうりょ》、敵奏《てきそう》の上《うえ》、御弟子《おんでし》中狼藉《ちゅうろうぜき》子細《しさい》あるよし、無実《むじつ》の風聞《ふうぶん》によりて罪科《ざいか》に処《しょ》せらるる人数《にんずう》の事《こと》。

一《ひとつ》。法然聖人《ほうねんしょうにん》并《なら》びに御弟子《おんでし》七人《しちにん》流罪《るざい》、又御弟子《またおんでし》四人《しょにん》死罪《しざい》に行《おこな》わるるなり。

聖人《しょうにん》は土佐国番田《とさのくにはた》という所《ところ》へ流罪《るざい》、罪名藤井元彦男《ざいみょうふじいのもとひこおとこ》と云々《うんぬん》、生年七十六歳《しょうねんしちじゅうろくさい》なり。

親鸞《しんらん》は越後国《えちごのくに》、罪名藤井善信《ざいみょうふじいのよしざね》と云々《うんぬん》、生年三十五歳《しょうねんさんじゅうごさい》なり。

浄聞房《じょうもんぼう》備後国《びんごのくに》、
澄西禅光房《ちょうさいぜんこうぼう》伯耆国《ほうきのくに》、
好覚房《こうかくぼう》伊豆国《いずのくに》、
行空法本房《ぎょうくうほうほんぼう》佐渡国《さどのくに》。
幸西成覚房《こうさいじょうかくぼう》・善恵房《ぜんえぼう》二人《ふたり》、同《おな》じく遠流《おんる》に定《さだ》まる。しかるに無動寺《むどうじ》の善題大僧正《ぜんだいだいそうじょう》、これを申《もう》しあずかると云々《うんぬん》。
遠流《おんる》の人々《ひとびと》已上《いじょう》八人《はちにん》なりと云々《うんぬん》。
死罪《しざい》に行《おこな》わるる人々《ひとびと》。
一番《いちばん》　西意善綽房《さいいぜんしゃくぼう》、

二番《にばん》　性願房《しょうがんぼう》、
三番《さんばん》　住蓮房《じゅうれんぼう》、
四番《しばん》　安楽房《あんらくぼう》。
二位法印尊長《にいほういんそんちょう》の沙汰《さた》なり。
親鸞僧儀《しんらんそうぎ》を改《あらた》めて俗名《ぞくみょう》を賜《たま》う、よって僧《そう》に非《あら》ず俗《ぞく》に非《あら》ず、然《しか》る間《あいだ》「禿《とく》」の字《じ》を以《もっ》て姓《しょう》と為《な》して奏聞《そうもん》を経《へ》られおわんぬ。
彼《か》の御申《おんもう》し状《じょう》、今《いま》に外記庁《げきちょう》に納《おさ》まると云々《うんぬん》。流罪以後《るざいいご》「愚禿親鸞《ぐとくしんらん》」と書《か》かしめ給《たま》うなり。

右《みぎ》この聖教《しょうぎょう》は、当流大事《とうりゅうだいじ》の聖教《しょうぎょう》たるなり。無宿善《むしゅくぜん》の機《き》に於《おい》ては左右《そう》無《な》く之《これ》を許《ゆる》すべからざるものなり。

釈蓮如《しゃくれんにょ》

編集プロデュース

井狩 春男（いかり はるお）

昭和20年、埼玉県生まれ。

中央大学から出版業界へ。

ユーモアあふれる評論、エッセイで、テレビ、新聞、雑誌に幅広く活躍。世評は「ベストセラー鑑定人」。

『返品のない月曜日』『ベストセラーの方程式』『この本は一〇〇万部売れる』など著書多数。

本書の編集・装幀の一切は、弊社から特別依頼する。

『歎異抄』原文の書

木村 泰山（きむら たいざん）

昭和16年、広島県生まれ。

法政大学卒業。書家。

日本書道振興協会常務理事、招待作家（実用細字部達人・かな部達人・詩書部達人。「達人」は、書道指導者の最高位）。

日本ペン習字研究会常任理事、全日本ペン書道展審査員。

元・読売書法展評議員。

桜のカラー写真　提供：アマナイメージズ

P. 26　熊本県熊本市
P. 122　滋賀県長浜市
P. 124　栃木県真岡市
P. 126　広島県広島市
P. 128　秋田県・十和田湖畔
P. 274　東京都・神代植物公園
P. 276　青森県弘前市
P. 280　長野県伊那市
P. 351　熊本県益城町

デザイン　遠藤 和美

出 典

第2部(1)
井上光貞・笠原一男・児玉幸多ほか
『詳説日本史』（改訂版）山川出版社、昭和53年
笠原一男「歎異抄「迷い多き」人生への大いなる「導べ」」
（『プレジデント』昭和59年12月号）

■■ **著者** ■■

高森 顕徹（たかもり けんてつ）

昭和４年、富山県生まれ。
龍谷大学卒業。
日本各地や海外で講演、執筆など。
著書『光に向かって100の花束』
『光に向かって123のこころのタネ』
『光に向かって心地よい果実』
『なぜ生きる』（監修）
『親鸞聖人の花びら』桜の巻・藤の巻
『なぜ生きる２』など多数。

歎異抄をひらく

平成20年(2008) ３月３日　第１刷発行
令和３年(2021) 10月25日　第187刷発行

著　者　高森 顕徹

発行所　株式会社 1万年堂出版

〒101-0052 東京都千代田区神田小川町2-4-20-5F
電話 03-3518-2126
FAX 03-3518-2127
https://www.10000nen.com/

印刷所　凸版印刷株式会社

ISBN978-4-925253-30-7　C0095
乱丁、落丁本は、ご面倒ですが、小社宛にお送りください。送料小社負担にてお取り替えいたします。定価はカバーに表示してあります。

朗読DVDブック 歎異抄をひらく

高森顕徹 著　朗読 鈴木弘子

分かりやすいと大好評の『歎異抄をひらく』を、耳で読んでみませんか。朗読に合わせて、画面には大きな文字で文章が表示されます。

耳で読む『歎異抄』

朗読DVDブック
歎異抄をひらく
高森顕徹
歎異抄

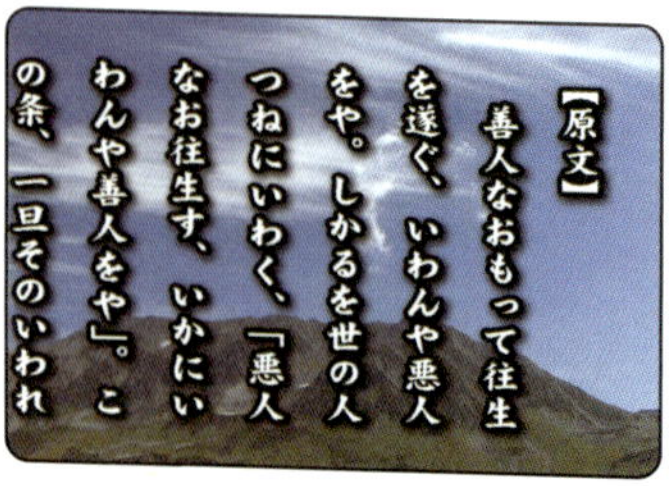
【原文】
善人なおもって往生を遂ぐ、いわんや悪人をや。しかるを世の人つねにいわく、「悪人なお往生す、いかにいわんや善人をや」。この条、一旦そのいわれ

朗読に合わせて、大きな文字が画面に映し出されます。◀

セット内容

・DVD　3枚（約5時間）
・『歎異抄』原文を収録したテキスト

※書籍『歎異抄をひらく』は別売りです。
※この商品は、アニメ映画のDVDではありません。

◎定価6,600円
（本体6,000円+税 10%）
ISBN978-4-925253-33-8

手書きでなぞる『歎異抄』

高森顕徹 著　書 木村泰山

古典の美しい文章を、鉛筆かボールペンで、ゆっくりとなぞってみませんか。親鸞聖人の言葉に触れると、なぜか、心が落ち着いてくるのです。（序から第十章まで）

◀ こちらから試し読みができます

◎定価1,320円
（本体1,200円+税 10%）
縦18センチ×横20センチ
96ページ
ISBN978-4-86626-045-7

人は、なぜ、歎異抄に魅了されるのか

伊藤健太郎 著

明治、大正、昭和と、激動の時代に、『歎異抄』が与えた影響とは何か。衝撃的な言葉が散りばめられた『歎異抄』が生まれた背景を探ります。映画「歎異抄をひらく」のシナリオも収録しました。

◀ こちらから試し読みができます

◎定価1,650円
（本体1,500円+税 10%）
四六判 272ページ
ISBN978-4-86626-046-4

親鸞聖人の花びら

教え、仏事、なぜなぜ問答

桜《さくら》の巻《かん》　藤《ふじ》の巻《かん》

高森顕徹 著

人生や仏事への素朴な疑問から、親鸞聖人の生きざま、深い教えの解説まで。著者の講演活動の中で、実際に受けた百十六の問いと答えを、『桜』『藤』の二巻に掲載。これだけ読めば、仏教と親鸞聖人のすべてが分かります。

◎定価1,760円
（本体1,600円+税 10%）
四六判 上製 344ページ
ISBN978-4-925253-52-9

◎定価1,760円
（本体1,600円+税 10%）
四六判 上製 344ページ
ISBN978-4-925253-53-6

こちらから試し読みができます◀

『桜の巻』主な内容

- 「ただ念仏さえ称えていれば、
  死んだら極楽へ往ける」と、本当に、
  親鸞聖人は教えられたのでしょうか。
- これも運命と、
  アキラメるしかないのでしょうか？
- お経を読んでもらうと、
  死んだ人のためになると、
  親鸞聖人は教えられたのでしょうか？
- 不幸や災難がおきると、
  「先祖のたたりだ」とか、
  「先祖の供養をしないからだ」とか
  言う人がありますが、本当でしょうか。
- 臨終に苦しんで死んだ母は、
  極楽へ往生しているのでしょうか？

など

『藤の巻』主な内容

- 葬式や法事を盛大にすれば、
  亡き母の孝行になるの？
- お盆は、何のためにあるの？
- 墓参りする意味は？
- なぜ、浄土真宗が西と東に別れているの？
- 「不幸が続くのは名前が悪いからだ」と
  言われましたが、本当でしょうか。
  親鸞聖人は、どう教えて
  おられるのでしょうか。
- 死ねば「私」は無になるの？
  「私」とは、一体、何なのか。
- 「浄土真宗の正しい御本尊は、
  木像や絵像ではなく名号である」と
  教えられた、親鸞聖人の根拠は何か。

など

生きる目的を知った人の苦労は、必ず報われる苦労です

なぜ生きる

高森顕徹 監修
明橋大二（精神科医）
伊藤健太郎（哲学者） 著

シリーズ100万部突破！

生きる目的がハッキリすれば、勉強も仕事も健康管理もこのためだ、とすべての行為が意味を持ち、心から充実した人生になるでしょう。病気がつらくても、人間関係に落ち込んでも、競争に敗れても、「大目的を果たすため、乗り越えなければ！」と〝生きる力〟が湧いてくるのです。

（本文より）

「会社人間として働いてきたけれど、何が残ったのか」

「子供が成長した今、何を目標に生きればいいのか」

「趣味に熱中する楽しみは、現実からの逃避ではないのか」

誰もが抱くむなしさ、疑問に、精神科医と哲学者の異色のコンビが、親鸞聖人の言葉を通して答えます。

◎定価1,650円
（本体1,500円+税 10%）
四六判 上製 372ページ
ISBN978-4-925253-01-7

◀こちらから試し読みができます